Presentación

Ficha técnica del curso

El presente manual desarrolla el contenido teórico de la acción formativa "Competencias digitales básicas" incluida en FUNDAE con código IFCT45 en la familia profesional de Informática y Comunicaciones y dentro del Área Profesional de "Sistemas y Telemática".

La Acción Formativa cuenta con una duración de 60 horas y su contenido está estructurado en seis unidades formativas que se distribuyen según lo expuesto en el siguiente índice.

Índice

U. F. 1. Uso básico del sistema operativo

U. F. 2. Tratamiento de la información

U. F. 3. Comunicación

U. F. 4. Creación del contenido

U. F. 5. Seguridad

U. F. 6. Resolución de problemas

U. F. 1. Uso básico del sistema operativo

Introducción

En esta unidad vamos a estudiar la funcionalidad del sistema operativo y aprenderemos a manejarlo.

Haremos una breve descripción de los sistemas operativos que más se usan, en concreto: Windows, Mac Os y Android. Dedicando una especial atención a Microsoft Windows. Este es el sistema más utilizado, sobre todo en ordenadores tanto de sobremesa como portátiles. Por otro lado, incidiremos en Android que es el sistema preferido en dispositivos móviles tanto Smartphones como Tablets.

Objetivos

- Aprender las características básicas de cada uno de los sistemas operativos.
- Descubrir acerca de las aplicaciones más importantes: navegador, explorador de archivos.
- Conocer las diferentes versiones y sistemas operativos disponibles.
- Gestionar de manera adecuada los archivos y carpetas de un equipo informático.

1. Diferentes versiones y sistemas operativos disponibles

En este punto vamos a ver las diferentes versiones y sistemas operativos disponibles. Hoy en día, un aspecto importante es la necesidad de tener siempre las últimas versiones de los sistemas operativos, debido tanto a temas de seguridad como de buen funcionamiento de nuestros dispositivos.

Vocabulario

Sistema operativo: se compone de una serie de programas esenciales para el funcionamiento de un sistema informático. Los elementos que componen el hardware son gestionados, y, además, funcionan de manera privilegiada sobre el resto de software o programas que están bajo él.

MS-DOS: sistema operativo de Microsoft, usaba una interfaz de comando frente a sistemas gráficos posteriores como Windows y otros. MS-DOS fue creado en 1985 como un sistema operativo exclusive para los ordenadores personales IBM PC de la empresa IBM.

1.1. Microsoft Windows

Microsoft Windows es el nombre de sistema operativo para PC, smartphones y servidores creado por la empresa Microsoft.

Logotipo de Microsoft

Esta primera versión surge el 20 de noviembre de 1985 como un complemento para MS-DOS. Nació como una interfaz gráfica frente a otras como MS-DOS que era una interfaz de comando.

La versión más reciente de Windows es el **Windows 10** para equipos de escritorio y **Windows 10 Mobile** para dispositivos móviles.

En la siguiente imagen podemos observar la historia de los diferentes sistemas operativos desde el primero al más reciente:

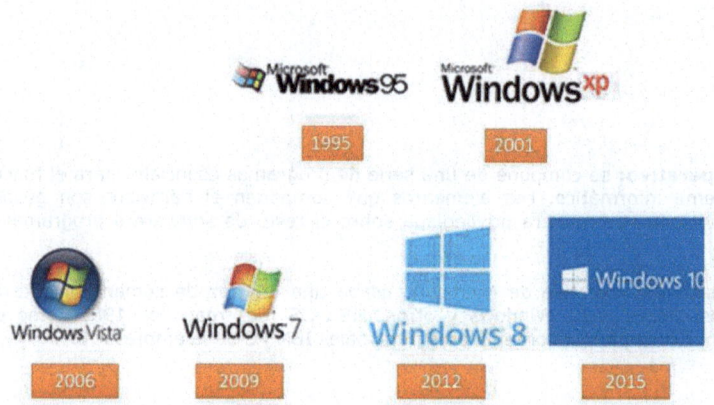

Los diferentes sistemas operativos desde 1995 hasta la actualidad

A. Características generales de los sistemas operativos Windows

Existen una serie de especificaciones y diferencias entre unas versiones y otras. Como por ejemplo, el botón inicio de Windows que fue eliminado en una de las versiones y recuperado posteriormente debido a la presión del gran público.

Entre los elementos comunes vamos a destacar los siguientes:

- **Escritorio:** básicamente es la pantalla del monitor. Este escritorio es también un elemento esencial en todos los demás sistemas operativos como Mac OS y Android.

- **Menú:** es una lista de opciones que a su vez tiene una serie de elecciones. Algunos de estos pueden ser configurados por el usuario de manera que sean visibles u ocultos. Así mismo tenemos la posibilidad de acceder a opciones que se activan con el botón derecho del ratón, denominado menú contextual.

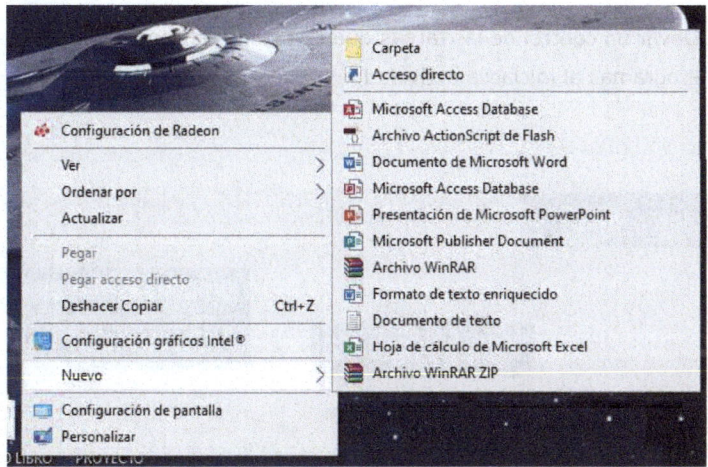

Menú contextual pulsando el botón derecho del ratón sobre el escritorio

- **Botón de inicio:** a través del botón de inicio de Windows se despliegan una serie de opciones y programas. Se encuentra ubicado en la parte inferior, en el ángulo izquierdo de la pantalla.

Menú desplegado a través del botón de inicio

- **Barra de tareas:** se encuentra ubicada en el lado inferior derecho del botón de inicio. Su utilidad es doble:

    o Llevar un control de las tareas que se están realizando.
    o Programas al iniciar la actividad.

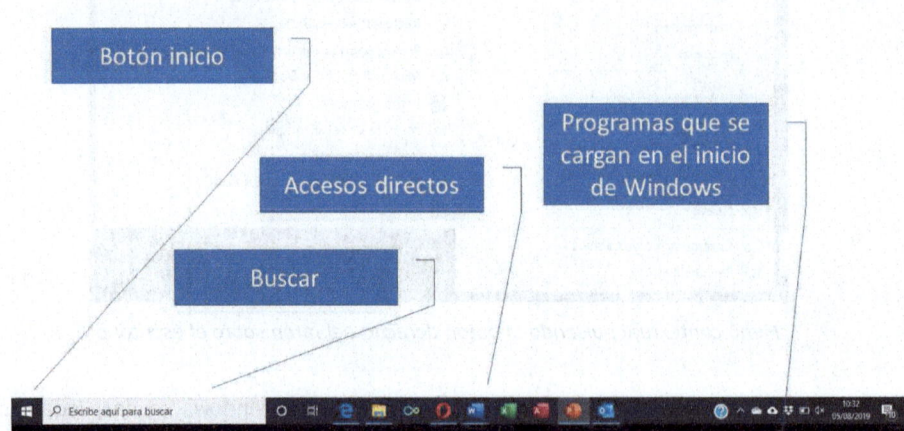

Barra de tareas de Windows

- **Iconos:** son elementos gráficos que representan aquellas aplicaciones que se encuentran instaladas en el ordenador.

Tipos de iconos

- **Ventana:** en Windows la interfaz gráfica se representa a través de ventanas. Esta característica ha tenido algunas variaciones en cuanto a menús, pero se mantiene la misma estructura.

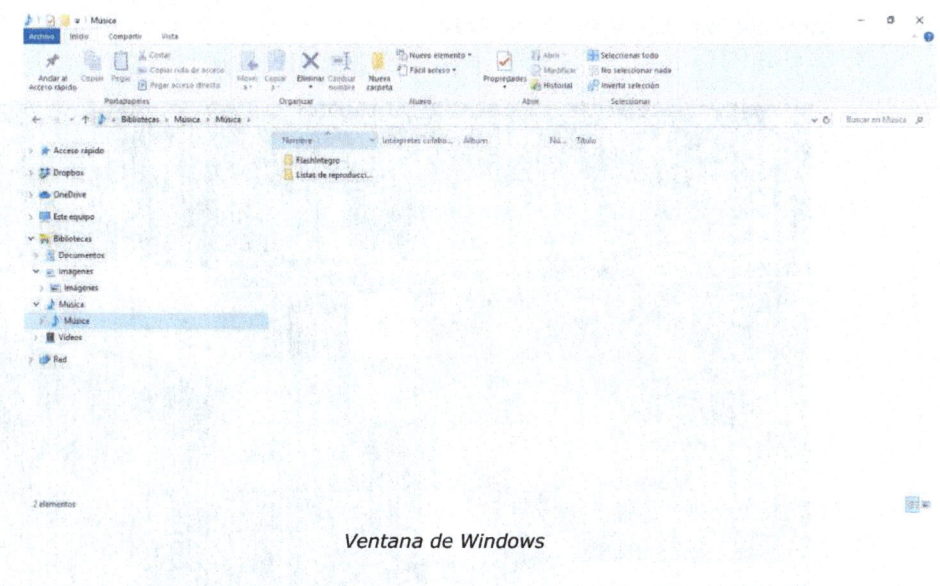

Ventana de Windows

B. Características específicas de Windows 10

Algunas de las más destacadas son:

- **Nueva interfaz:** disposición adaptada a pantallas táctiles.

- **Reincorporación del botón de inicio:** en Windows 8 desapareció pero volvió con esta versión.

- **Cortana:** es un asistente virtual que ayuda a realizar búsquedas con interacción de texto y voz.

- **Navegador nuevo:** incluye un nuevo explorador de Internet: Microsoft Edge. Está pensado para sustituir el navegador clásico de Internet Explorer.

- **Nuevas aplicaciones:** 3DBuilder, alarma y reloj, calendario, cámara, contactos, complemento del teléfono, mapas, fotos, mensajes, Xbox, noticias, OneNote, películas y TV, entre otras.

Escritorio de Windows 10

1.2. Android

Android es un sistema operativo creado para dispositivos móviles con pantalla táctil: teléfonos inteligentes, tabletas, relojes inteligentes, automóviles y televisores. Se basa en Linux y otros programas de código abierto, y más adelante fue desarrollado por Google.

Logotipo de Android

 **Saber más**

Inicialmente fue desarrollado por Android, empresa que compró posteriormente Google.

Características del sistema Android

- **Código abierto:** es un software basado en la colaboración abierta.

- Se **adapta** a las diversas pantallas y resoluciones.

- Utiliza un sistema propio de **almacenamiento de datos** compatible con todos los demás sistemas operativos.

Sistema de archivos en Android

- **Multifuncionalidad** de la mensajería.

- **Navegador web** que utiliza tecnología basada en varios navegadores como Safari o Google Chrome.

- Se **apoya en Java** y otros formatos.

- **Soporta** Adobe Flash Player, HTML, HTML5, etc.

- Incluye diferentes **herramientas:** para gestionar dispositivos, analizar el rendimiento, la memoria, entre otras.

- **Catálogo de aplicaciones gratuitas** o de pago. Las aplicaciones se llaman Apps y se descargan en Play Store.

- **Bluetooth.**

- **GPS.**

Pantalla de un Smartphone con SO Android

1.3. Mac OS

Pertenece a una serie de sistemas operativos gráficos desarrollados y comercializados por Apple desde 2001. Es el sistema operativo principal para los ordenadores Mac de Apple. También se incluye dicho sistema operativo en todos los demás dispositivos móviles, en este caso el sistema operativo se llama iOS.

Logotipo de Mac Os

Anotación

MacOS High Sierra es la última versión del sistema operativo de Apple para su gama de ordenadores de escritorio, portátiles y servidores Macintosh.

Sus características principales son:

- El explorador de archivos se denomina **Finder.**
- El navegador web por defecto se llama **Safari.**
- El **manejo de ficheros y carpetas** es similar al sistema operativo Windows.

 **Saber más**

iOS es un sistema operativo móvil diseñado por la empresa Apple. De ser el sistema operativo de iPhone pasó a ser utilizado en otros positivos como el iPod touch y el iPad. Cabe señalar que no se puede instalar en ningún dispositivo que no sea de la marca Apple.

1.4. Linux

Es un sistema operativo libre que se define como multiusuario, multitarea y multiplataforma. El sistema nació como la combinación de varios proyectos. Es el ejemplo más evidente de lo que se denomina **software de código libre.** Es decir, puede ser utilizado además de modificado y redistribuido libremente por cualquiera, bajo los términos de la GPL (Licencia Pública General de GNU).

Logotipo de Linux

Sus principales características son:

- Está centrado en el aprovechamiento de las redes.
- Brinda soporte a todo tipo de hardware.
- Permite personalizar la interfaz.
- Multitarea en alto rendimiento.
- Favorece el trabajo multiusuario.
- Alto nivel de seguridad.
- Controla mejor los dispositivos.

Anotación

Existen diferentes versiones como son: Ubuntu, Opensuse, Fedora o Debian.

Pantalla principal de una de las versiones de Linux

2. Inicio, apagado e hibernación

El **botón de inicio** es el más importante en el caso del sistema operativo Windows. Desde que desapareció en algunas versiones anteriores, y se volvió a recuperar por el resultado negativo entre los usuarios, volvió con mayores funcionalidades.

Al pulsar el botón inicio en este caso en Windows 10 podemos ver los siguientes elementos que podemos dividir en tres partes:

- A la **izquierda** existen una serie de iconos que sirven uno para apagar, reiniciar o suspender el equipo; otro para configurar el equipo; para ir a las imágenes y otro a los documentos.

Opciones del botón inicio a la izquierda

- En el **centro** encontramos el acceso a todos los programas que tengamos instalados en Windows.

Acceso a los programas instalados en Windows

- A la **derecha** tenemos acceso a una serie de aplicaciones, juegos y accesos directos. Como podemos ver en la imagen inferior también hay una tienda para descargar aplicaciones gratuitas y de pago llamada Microsoft Store.

Opciones del botón inicio a la derecha

A. Apagar

Con esta opción apagamos totalmente el ordenador, solo debemos pulsar en inicio y después en apagar.

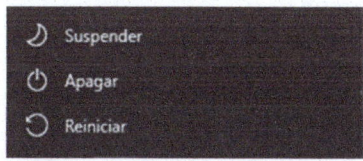

Opciones de suspender, apagar y reiniciar

Opción de Apagar

B. Suspensión

Con esta opción apagamos totalmente el ordenador, solo debemos pulsar en inicio y después en apagar.

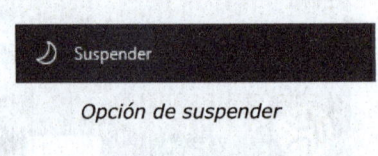

Opción de suspender

Se recomienda usar esta opción cuando se va a dejar el ordenador durante unas pocas horas. En el caso de un portátil solo al cerrar la tapa se puede suspender.

Para poner el PC en suspensión podemos usar la opción de suspensión configurada por defecto o modificarla a través de las opciones de energía:

1. En el **panel de búsqueda** escribimos configuración.

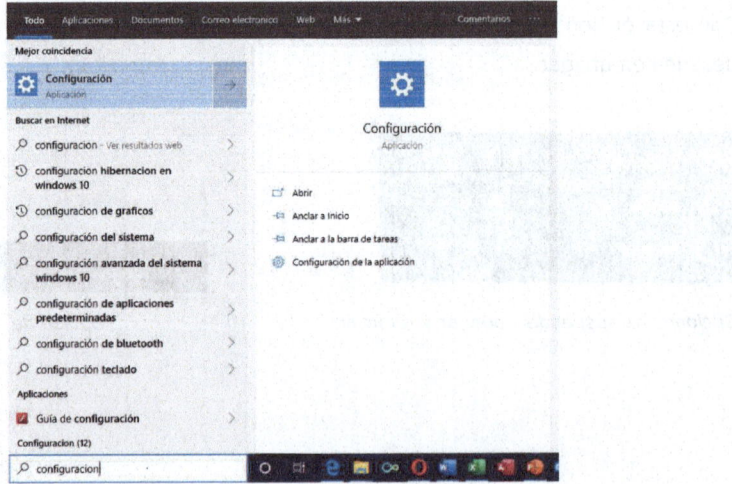

Panel de búsqueda, en este caso hemos escrito "configuración"

2. Después en **inicio/apagado y suspensión** configuramos el tiempo de suspensión eligiendo bien cuando se use la batería o cuando este enchufado, en el caso de estar usando un portátil.

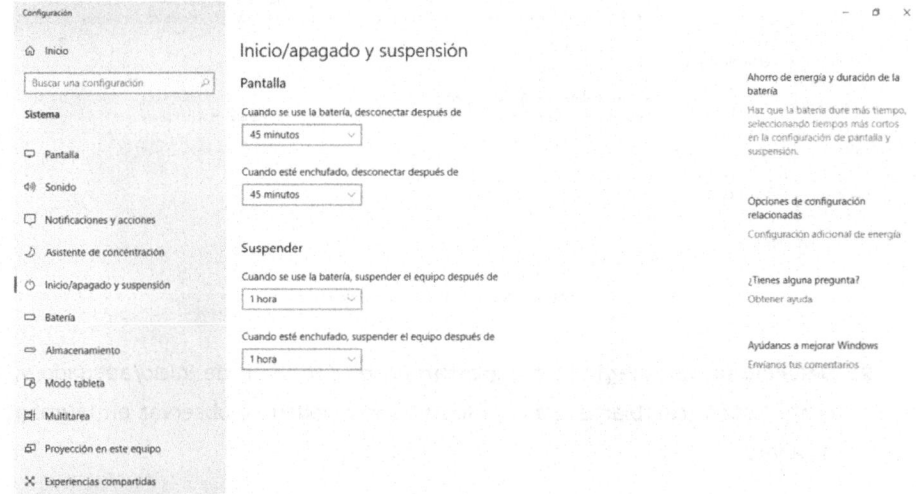

Ventana de configuración inicio/apagado y suspensión

C. Hibernación

Esta opción no se encuentra disponible en todos los equipos. Dependiendo de su configuración de fábrica puede ocurrir que dicha opción no aparezca. Es parecido a la suspensión, pero a diferencia de esta, se utiliza cuando el dispositivo va a estar un largo tiempo sin utilizarse.

Para poner el equipo en estado de hibernación:

1. Abrimos las **opciones de energía** y nos vamos a inicio/configuración/sistema. En Windows 10, selecciona inicio, a continuación, configuración, luego a sistema y después a inicio/apagado y suspensión y configuración adicional de energía.

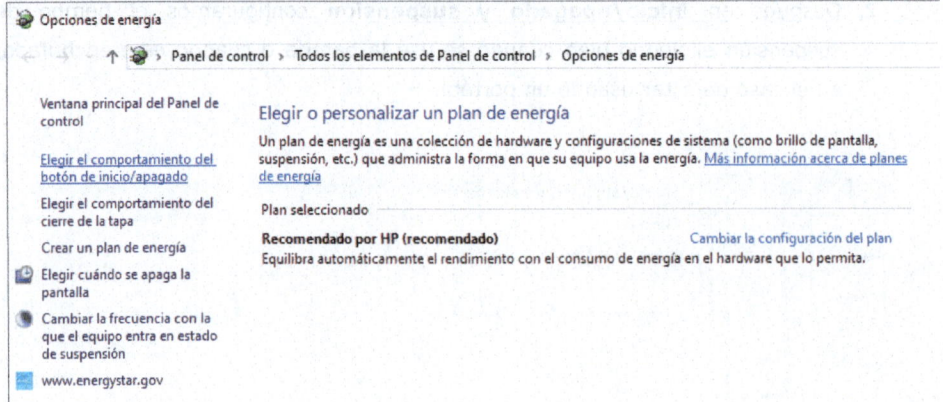

Ventana de opciones de energía

2. **Seleccionamos elegir el comportamiento** del botón de inicio/apagado y, a continuación, cambiar la configuración. Como podemos observar en la imagen de abajo:

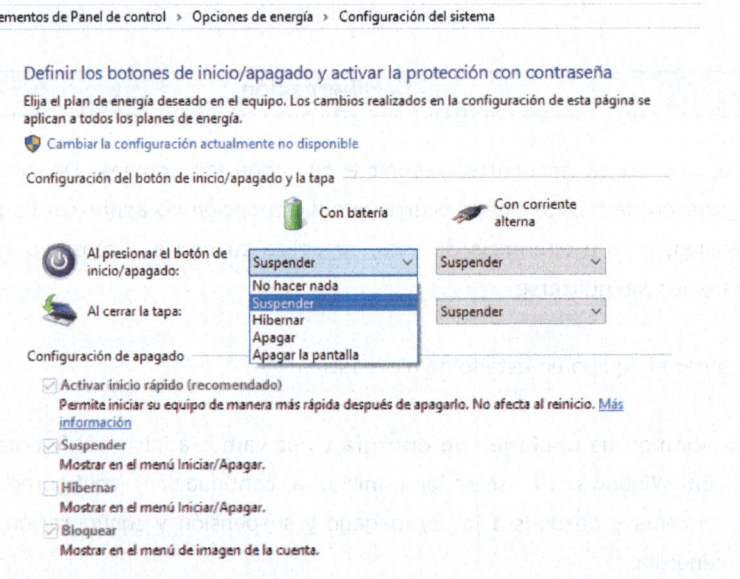

Opción de modificación de la configuración de hibernar

Podremos elegir entre hibernar:

- Con batería.
- Con corriente alterna.

También podremos elegir el comportamiento al cerrar la tapa.

Sugerencia

Se recomienda para un ajuste y uso de ambas opciones de suspensión e hibernación que los driver o controladores estén actualizados en el sistema para un funcionamiento correcto.

3. Programas básicos (navegador, explorador de archivos, visor de imágenes, ...)

En el entorno Windows, así como en otros sistemas operativos, existen una serie de programas básicos que sirven para realizar las operaciones más comunes, como son: navegadores web, explorador de archivos, visores de imágenes, visores de ficheros multimedia, etc. Si bien nos vamos a centrar en el sistema operativo Windows, haremos algunas anotaciones sobre los otros sistemas operativos como es el caso de Android o Mac Os.

A. Navegador web

El navegador web proviene del inglés *web browser* y es un programa que permite mostrar el contenido de los sitios web. No es un simple visor, sino que también interpreta dichas páginas una vez nos permite el acceso a la Web.

Ejemplo de navegador web de Google

La funcionalidad básica es:

- **Permitir la visualización** de documentos de Web.
- **Permitir acceso a recursos** como envío y recepción de correos, etc.

En el caso del sistema operativo Windows el navegador Web por defecto, desde la versión 10, es Microsoft Edge. En cambio en Mac Os se llama Safari. Esto no quiere decir que no se puedan instalar otros navegadores.

B. Explorador de archivos

Windows tiene un gestor de archivos predeterminados denominado explorador de archivos.

Su primera aparición estelar fue con Windows 95, desde entonces se ha ido utilizando, aunque ahora, en vez de explorador de Windows, se denomina explorador de archivos. El funcionamiento básico se ha mantenido, salvo por algunas modificaciones en el entorno. Entre sus principales funciones:

- Gestión de archivos, tanto ficheros como carpetas.
- Crear, eliminar, renombrar copiar archivos.
- Abrir aplicaciones.
- Ordenar ficheros, etc.

C. Visor de imágenes

Es una aplicación que permite:

- Mostrar imágenes que ya tenemos guardadas.
- Editar dichas imágenes guardadas.

Estas pueden estar en un disco local, remoto, o en dispositivos externos. Maneja diferentes formatos de imágenes. También permite retocar, aunque sea de una manera sencilla las imágenes. En la imagen inferior podemos ver el visor de imágenes de Windows.

Ventana visor de imágenes de Windows

Desde el visor de imágenes se pueden realizar retoques sobre las imágenes, recortar, modificar brillo y contraste, colores, etc.

A través de la opción de editar podemos recortar, agregar filtros, efectos.

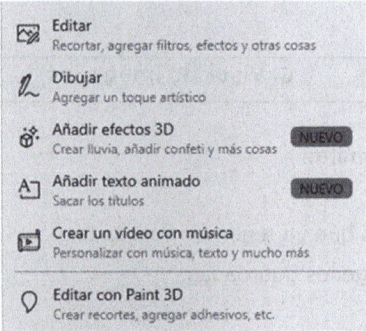

Ventana de opciones del visor de imágenes

Podemos modificar la claridad, el color, hacer correcciones puntuales, ojos rojos, etc.

D. Paint/ Paint 3d

En el caso de Windows 10 son dos programas: uno es programa de dibujo básico y el otro se utiliza para realizar dibujos en 3 dimensiones.

Ventana de Paint

En la imagen inferior tenemos la aplicación de Paint 3D, que sirve para realizar modelados en 3D.

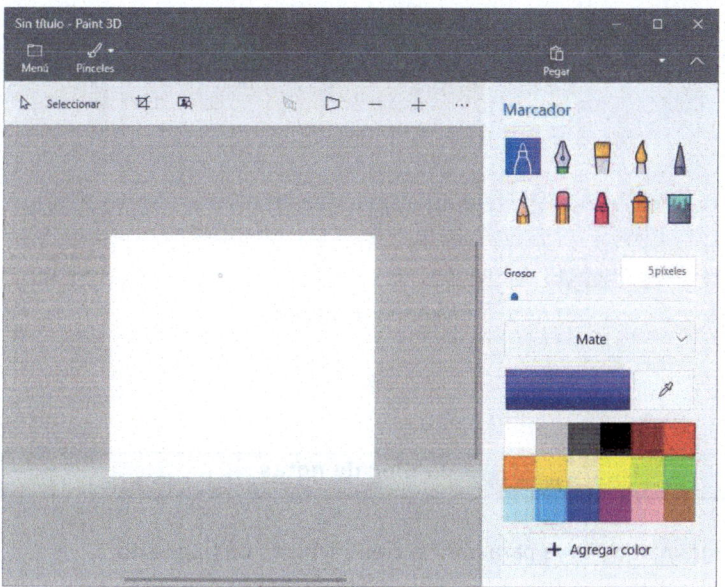

Ventana de Paint3D

E. WordPad

Es el **procesador de textos** predefinido de Windows, que es al igual que Paint de los programas más antiguos que tiene Windows. Si bien ha ido mejorando sus cualidades, sigue siendo una aplicación muy básica como procesador de textos. Entre sus funciones están:

- Formateo de textos, párrafos, tipos de fuentes, etc.
- Diseño de página.
- Insertar elementos como imágenes.

Ventana de WordPad

F. Bloc de notas

Es un programa que sirve para abrir o crear ficheros de tipo texto.

Ventana de bloc de notas

Podemos acceder a este programa y otros de dos maneras:

1. Se puede acceder a través del panel de **buscar.**

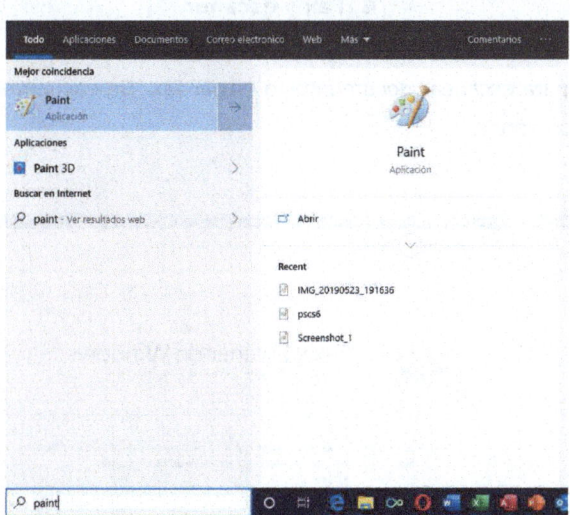

Ventana donde podemos buscar un programa

2. Desde el menú inicio y luego en **accesorios.**

Ventana accesorios

G. Fax y escáner

Se utiliza tanto para escanear documentos o enviar fax. Se encuentra también dentro de programas accesorios.

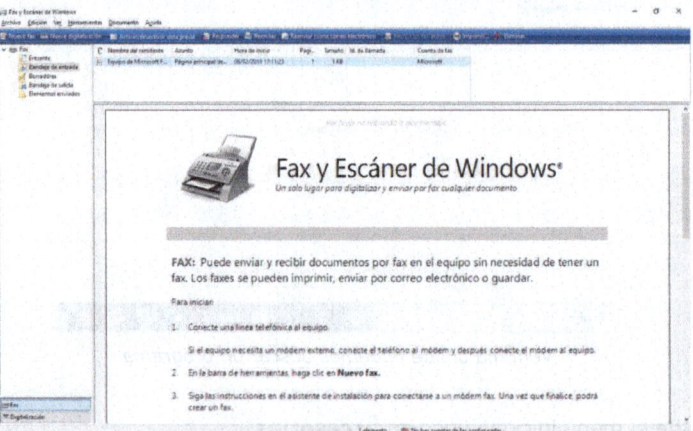

Ventana de fax y escáner de Windows

H. Windows Media Player

Programa para visualizar ficheros de audio o video de diferentes formatos. Se pueden crear diferentes listas de reproducción, con clasificaciones por álbum, interprete, título, etc.

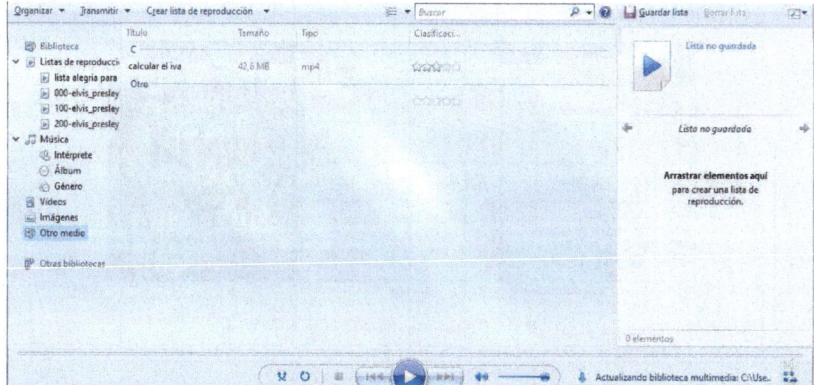

Interfaz de Windows Media Player

4. Gestión de archivos y carpetas

Vocabulario

Archivo. Si bien se identifica por un nombre y la descripción de la carpeta que lo contiene, en realidad es un conjunto de bit. Su nombre en realidad es el reflejo de la organización de, por ejemplo, una biblioteca o una oficina donde hay escritos que son ficheros y carpetas igual que las carpetas reales donde se guardan los ficheros.

A. Medidas de almacenamiento

Para poder medir la cantidad de información en un medio digital existe una tabla que nos ayuda a identificar lo que ocupa, por ejemplo, un documento, programa, vídeo, etc.

NOMBRE	SIGLA	EQUIVALENTE
Byte	B	8 BITS
Kilobyte	KB	1024 B
Megabyte	MB	1024 KB
Gigabyte	GB	1024 MB
Terabyte	TB	1024 GB

Tabla de medidas de almacenamiento

La información que generamos los usuarios la podemos almacenar de la siguiente forma:

- **Disco local o disco duro interno**: es el dispositivo de almacenamiento principal donde se almacena la información. Se identifica en el caso del ordenador con la letra C:

- **Dispositivos de almacenamiento externo**: pendrive, discos duros externos, tarjetas de memoria extraíbles, por ejemplo, las MicroSD.

Imagen de un pendrive

- **Almacenamiento online:** a través de la nube o Cloud como Google Drive, o bien usando el correo electrónico.

B. Tipos de ficheros

Los tipos de archivos se identifican por la extensión que se compone de al menos tres letras, llegando incluso a cuatro, y a veces puede llegar a incluir números, si vemos los diferentes tipos de ficheros, en la parte inferior, nos encontramos casos de lo referido anteriormente.

Existen diferentes tipos de ficheros:

- Documento de Microsoft Word: docx.
- Documentos de Microsoft Excel: xlsx.
- Documentos de Adobe Reader: pdf.
- Imágenes: jpg, png.
- Videos: avi, mp4.
- Música: mp3, mp4.

Ejemplo

En el caso de un archivo de texto creado con Microsoft Word, la extensión del archivo es docx, de tal forma que si un archivo se llamase por ejemplo "Informe", el nombre de archivo que resultaría sería "informe.docx".

C. Explorador de archivos

A través del explorador de archivos podemos realizar todas las gestiones relacionadas con los archivos:

1. Visualizar las extensiones de archivo en Windows

Si nos dirigimos a las opciones de carpeta dentro del navegador de archivos de Windows, cambiamos a la pestaña *Ver.* Nos desplazamos abajo del todo y allí desactivamos la casilla "*Ocultar las extensiones de archivo para tipos de archivo conocidos*".

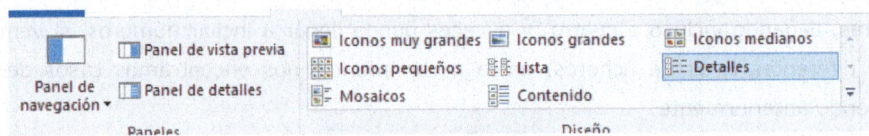

Opciones de vistas de archivos

2. Mostrar extensiones de archivo de Windows

Una vez pueda visualizar las extensiones de archivo también podrá modificarlas.

Hay que tener cuidado a la hora de modificar las extensiones, porque puede ocurrir que no pueda abrir dichos ficheros, la manera de solucionarlo es volver a escribir en caso de error la extensión que tenía previamente el archivo.

3. Operaciones con archivos y carpetas

Directorios o carpetas. Las carpetas son elementos para organizar la información y nos sirven para meter en ellos archivos u otras carpetas. En realidad, tienen paralelismo con la manera de organizarnos la información física en carpetas y documentos.

Es fundamental utilizar una estructura lógica a la hora de organizar la información.

La mayoría de archivos podemos gestionarlos, eliminarlos, copiarlos, etc. Pero existen no obstante ficheros de sistema, que no se recomienda que se les cambie el nombre, elimine o mueva de lugar, porque pueden afectar al funcionamiento del sistema operativo, así mismo puede ocurrir con archivos esenciales de los programas instalados. Vamos a ir viendo cada una de estas opciones:

Nombre	Fecha de modificación	Tipo	Tamaño
TEMA 1	05/08/2019 19:30	Carpeta de archivos	
TEMA 2	05/08/2019 19:30	Carpeta de archivos	
TEMA 3	05/08/2019 19:31	Carpeta de archivos	

Ventana donde aparece un ejemplo sencillo de estructura de archivos

Anotación

En la imagen superior vemos el nombre de las carpetas junto a la fecha de modificación, tipo de archivo y tamaño.

- **Crear archivos.** Para crear un archivo podemos realizarlo desde diversas opciones:

    - Abrir el explorador de archivos en el caso de Windows y usar la opción de archivo y dentro de archivo, pulsamos después en nuevo.
    - Si pulsamos con el botón derecho del ratón, nos aparecerá un menú contextual y después pulsaremos una opción que es nuevo, y dentro de nuevo, elegiremos la opción de carpeta.
    - En casi la mayoría de aplicaciones con la combinación de teclas Ctrl+N crearemos un nuevo documento o carpeta.

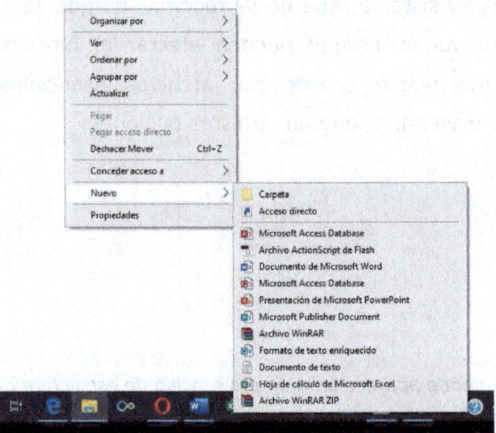

Opción de crear nuevas carpetas a través de menú contextual (botón derecho del ratón)

- **Abrir archivos**. Si pulsamos doble clic con el ratón nos abrirá el archivo, esto es una opción que se usa de manera estándar, en la mayoría de sistemas operativos. Tanto en Windows, Mac OS, o Android.

En general, a la hora de abrir un fichero, por ejemplo, un documento con extensión docx, lo abrirá el programa que el sistema operativo asigna automáticamente. Por ejemplo, si tuviéramos instalado en nuestro equipo Microsoft Word este programa lo abrirá al pulsar con un doble clic.

Otra opción es usar abrir con, esta opción se usa, cuando queremos abrir un archivo determinado, con otro programa, no con el asignado por el sistema operativo por defecto.

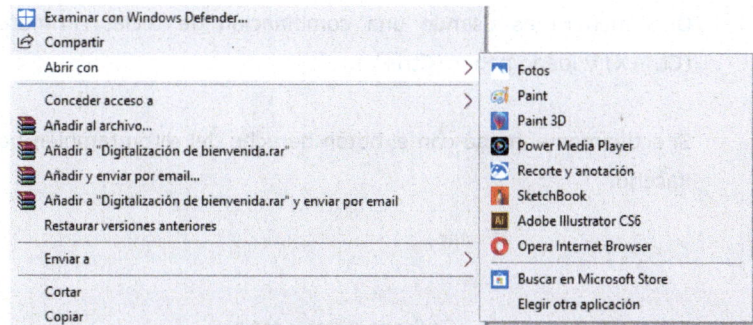

Ventana "Abrir con..."

- **Mover archivos.** Esta opción la usamos, cuando queremos cambiar archivos de una ubicación a otra. Por ejemplo, tenemos un archivo en la carpeta "documentos" y queremos moverlo a la carpeta "ejercicio".

Podemos hacerlo de varias maneras:

- Una manera es seleccionar el archivo o varios archivos y una vez seleccionados **arrastrarlos** hasta la posición en cuestión.

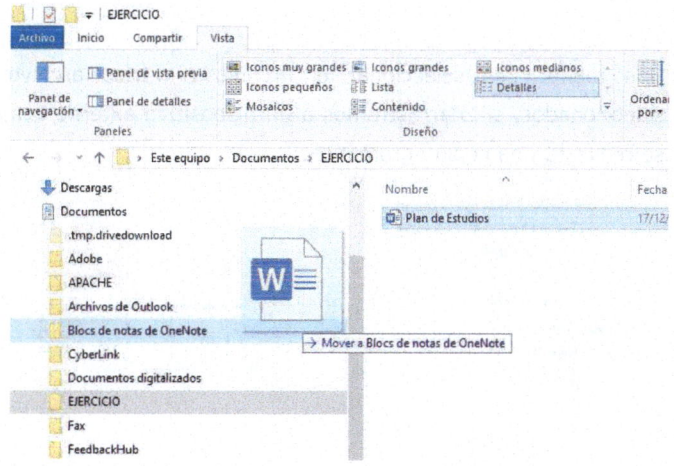

Opción de mover arrastrando el ratón

- Otra manera es usando una combinación de teclas. Primero cortar (Ctrl+X) y luego pegar (Ctrl+V).

- Si activamos el menú con el botón derecho del ratón también podremos hacerlo.

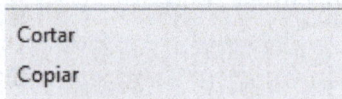

Opciones cortar y copiar

- **Copiar archivos.** Consiste en hacer copias más o menos exactas de archivos. En realidad, los ficheros son copiados exactamente, pero pueden varias algunas características como la fecha.

Finder: es la aplicación que se encarga de gestión de archivos y programas, al estilo de explorador de archivos de Windows, pero en este caso de sistema operativo Mac Os.

- Una manera es seleccionar el archivo o varios archivos y una vez seleccionados, si lo arrastramos a un dispositivo externo como un pendrive se realizará una copia automática.

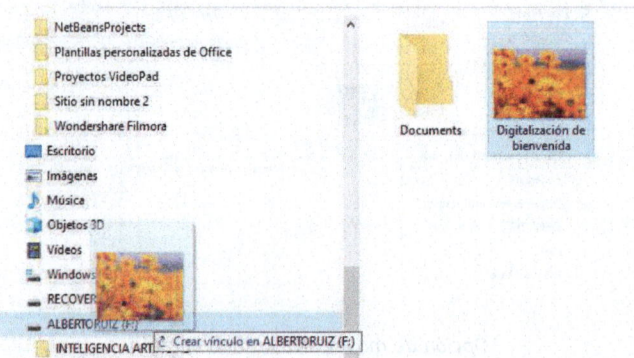

Ventana copiar fichero a un pendrive

- Otra manera es usando una combinación de teclas. Primero copiar Ctrl+C y luego pegar Ctrl+V.

- Si activamos el menú con el botón derecho del ratón, también podremos hacerlo. Usando primero la opción de copiar y luego donde queramos realizar la copia solo tendremos que pulsar a la opción pegar.

- **Comprimir archivos**. Comprimir archivos es una opción que nos permite crear un fichero en el cual entran uno o varios archivos, ocupando menos espacio, porque se usa un sistema de compresión. Esto sobre todo teniendo en cuenta los tamaños de los dispositivos de almacenamiento no es tan importante, pero en cambio si lo es, si queremos enviar ficheros a través de correo electrónico. Aunque existen formas de enviar ficheros de gran tamaño, bien sea a través de sitios web o también utilizando el almacenamiento en la nube.

 **Saber más**

Existen diferentes programas de compresión, el más conocido es Winzip, el formato zip, ha sido siempre el más usado, aunque otros formatos como rar, que se pueden comprimir o descomprimir con un programa denominado Winrar.

- **Eliminar archivos.** En el momento que suprimimos o eliminamos un archivo, este pasa automáticamente a la papelera de reciclaje, desde la cual podemos o recuperarlo o eliminarlo definitivamente. Para eliminar podemos:

- Presionar la tecla SUPR con los elementos seleccionados.
- Pulsar con el botón derecho del ratón la opción eliminar.
- Usar en el menú la opción de eliminar.

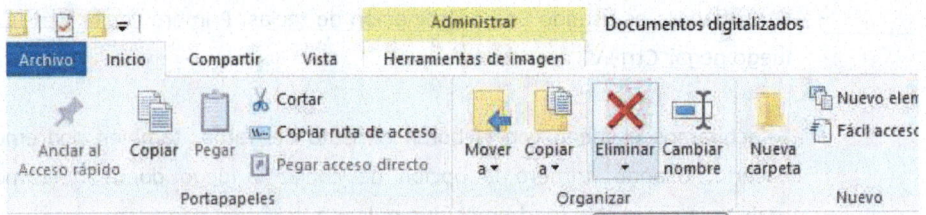

Ventana del explorador de archivos con la opción eliminar

- **Restaurar archivos.** Esta opción permite recuperar archivos que se han eliminado anteriormente. Están presentes en muchos sistemas operativos, e incluso en sistemas de almacenamiento en la nube. En el caso de Microsoft Windows cuando eliminamos un fichero en el disco local del dispositivo automáticamente se va a la papelera de reciclaje y desde este programa podemos realizar diferentes operaciones:

  - Restaurar.
  - Eliminar (definitivamente).
  - Restaurar todo.
  - Vaciar papelera.

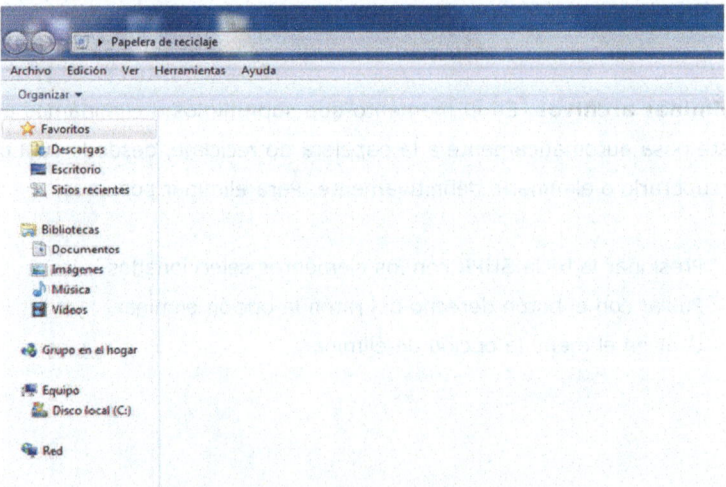

Ventana de papelera de reciclaje en Windows

- **Selección de archivos.** Realizar las funciones que estamos viendo de archivo en archivo sería tedioso, por esa razón existen diversas maneras de realizar selecciones de archivos:

- Arrastrar con el ratón.
- Si hacemos clic sobre varios elementos sucesivamente con la tecla CTRL presionada.
- Con la tecla SHIFT pulsada, podremos seleccionar, utilizando la combinación de teclas con las siguientes teclas: AVPAG, REPAG, INICIO, FIN, o los cursores.

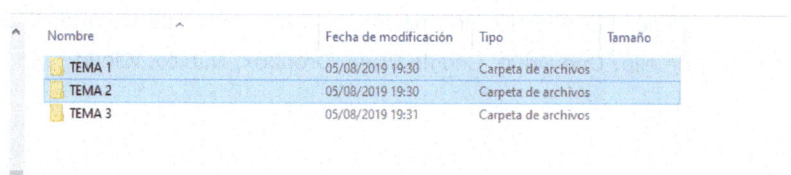

Selección de varios ficheros

- Otra manera se llama **enmarcar o recuadrar**, donde pulsando el ratón con el botón izquierdo y dejándolo presionado vamos creando un cuadro alrededor de los ficheros que queremos seleccionar. Como podemos ver en la imagen inferior.

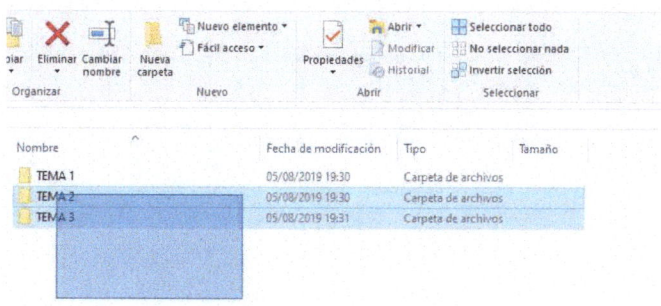

Opción de enmarcar varios ficheros

- **Copias de seguridad.** Para no sufrir pérdidas de datos e información es conveniente realizar periódicamente copias de seguridad. Estas se pueden realizar de diferentes maneras:

    - En otros discos internos. Podemos realizarlo manualmente simplemente copiando los archivos en otra parte del disco local. También existen programas que pueden realizar dichas copias de seguridad automáticamente estableciendo horarios y días concretos.
    - En discos externos. Pueden ser discos duros externos, CDs, DVDs, Blu-ray, Pendrives, Tarjetas SD, MicroSD, etc.
    - En servicios de almacenamiento en la nube. Estos servicios permiten tener disponible nuestra información, realizar copias de seguridad, etc. Ejemplo de ello: One Drive, Google Drive, Dropbox, Nubico, iCloud.

Resumen

En esta unidad hemos visto el uso básico del sistema operativo, centrándonos fundamentalmente en el sistema operativo Windows.

Microsoft Windows es el nombre de sistema operativo para PC, smartphone, servidores, creados por **Microsoft**. Microsoft crea esta primera versión en el 20 de noviembre de 1985 **como un complemento para MS-DOS**. Nació como una interfaz gráfica frente a otras como MSDOS que era una interfaz de comando. La última versión es Windows 10.

Otros sistemas operativos son Android, y Mac Os, iOS.

El botón *inicio* es el más importante en el caso del sistema operativo Windows. Desde que desapareció en algunas versiones anteriores, se volvió a recuperar. Pero con mayores funcionalidades.

Otras opciones que podemos usar son: **Suspender, Apagar e Hibernación**. En el caso de hibernación, nos permite dejar el ordenador en suspenso durante bastante tiempo, sin que se vea afectado.

En el entorno Windows, así como en otros sistemas operativos, existen una serie de programas básicos que sirven para realizar las operaciones más comunes, como son navegadores Web, explorador de archivos, visores de imágenes, visores de ficheros multimedia, etc. Si bien nos vamos a centrar en el sistema operativo Windows, haremos algunas anotaciones sobre los otros sistemas operativos como es el caso de Android o Mac Os.

Entre otras **aplicaciones** tenemos el *navegador Web, Explorador de Windows, visor de imágenes, Paint, WordPad, Windows media player*, etc.

En último lugar hemos visto la **gestión de archivos y carpetas**, preferentemente en Windows. Podemos utilizar sobre *todo explorador de archivos, copiar, mover, eliminar, copias de seguridad, comprimir.*

Glosario

Apple

Es una empresa fabricante de equipos electrónicos, software y servicios en línea. Sus productos de hardware incluyen el iPhone, la tableta iPad, el ordenador personal Mac, el reloj Apple Watch y el reproductor de medios digitales Apple TV.

Bluetooth

Bluetooth es una especificación tecnológica, utilizado en la estructura inalámbrica en el ámbito personal, que permite la transmisión de voz y datos, entre otras funcionalidades, entre diferentes dispositivos.

Driver

Un controlador de dispositivo es un programa informático con un sistema operativo. Significa la llave para conectar el sistema operativo y demás hardware.

GPS

Se denomina al Sistema de Posicionamiento Global, proviene del inglés, *Global Positioning System*. Este sistema nos permite conocer la localización de cualquier elemento de manera precisa.

Interfaz gráfica

Utilizando imágenes y gráficos para representar la información, que permite utilizando los elementos gráficos, una presentación de estos datos intuitiva y sencilla.

Microsoft

Es una compañía desarrolla y gestiona software para ordenadores, servidores, dispositivos electrónicos y servicios informáticos. Destaca por ser el sistema operativo con más usuarios del mundo.

Ejercicios de autoevaluación

1. ¿Cuál es la última versión de Windows?

    a. Windows Vista.

    b. Windows 9.1.

    c. Windows 10.

    d. Windows 8.1.

2. ¿Cómo se llama el gestor de archivos y carpetas en Mac os?

    a. Safari.

    b. Mac Os Explorer.

    c. Browser Mac.

    d. Finder.

3. ¿Cómo se llama el nuevo navegador Web en Windows 10?

    a. Microsoft Safari.

    b. Internet Explorer 10.

    c. Windows Explorer.

    d. Microsoft Edge.

4. ¿Desde qué aplicación descargamos Apps en Android?

    a. Play Store.

    b. JPlay App.

    c. Google Store.

    d. Android Store.

5. ¿Cómo se llama el procesador de texto que trae por defecto Windows 10?

    a. WordPad.

    b. Microsoft WordPad.

    c. Writer Windows.

    d. WordWindows.

6. ¿Qué es Cortana?

    a. Una serie de combinaciones de teclas para hacer más ágil Windows.

    b. Un asistente virtual que se puede utilizar con texto o voz.

    c. Una opción que sustituye a la opción de Fax y Escáner.

    d. Un programa para retocar imágenes.

7. ¿Qué es un terabyte?

    a. Es una medida de información, equivale a 1024 megabytes.

    b. Es una medida de información, equivale a 1024 bytes.

    c. Es una medida de información, equivale a 1024 Zettabytes.

    d. Es una medida de información, equivale a 1024 gigabytes.

8. ¿Cuál es la combinación de teclas para copiar un fichero?

    a. Control + x.

    b. Control + c.

    c. Control + p.

    d. Control + v.

9. ¿Si borramos un documento del disco duro en Windows, dónde se va?

a. Se queda en un programa que se llama Eraser.

b. El documento desaparece y no se puede recuperar.

c. A la papelera de reciclaje, una vez allí, podemos recuperarlo o eliminarlo definitivamente.

d. El documento desaparece, pero a través de ciertas aplicaciones que tenemos que descargarnos de la Web de Microsoft podemos recuperarlo.

10. ¿Cuál de estos programas es un programa para comprimir y descomprimir archivos?

a. Winrar.

b. Winrrap.

c. Xwinrar.

d. Siris.

U. F. 2. Tratamiento de la información

Introducción

En esta unidad, vamos a detenernos en aspectos relacionados con el tratamiento de la información. Desde hace algunos años, Internet se ha convertido en un elemento esencial en nuestras vidas, no solo con respecto al área laboral, sino también personal. Por tanto, nos centraremos en lo relacionado tanto a la navegación, búsqueda de información y su almacenamiento y recuperación mediante servicios especializados.

Objetivos

- Aprender a distinguir los diferentes navegadores, como usarlos y configurarlos.
- Estudiaremos que son los buscadores, y las fuentes RSS.
- Asimilar las distintas maneras de almacenar y recuperar el contenido digital.
- Conocer el procedimiento a seguir para realizar una navegación en internet de manera segura.
- Realizar una navegación en Internet de manera segura.

1. Navegación

¿Qué entendemos por navegación? Este concepto nace como una forma de explicar que ante un mar de conocimientos que nos trasmite Internet, nosotros usamos los medios para descubrir y gestionar la información que Internet nos ofrece. Lo primero que tenemos que ver es que no existe un solo navegador, al contrario, existen distintos navegadores que vamos a ir viendo en el siguiente punto.

1.1. Diferentes navegadores

Los navegadores web se han convertido en la forma de entrar en Internet. En su tiempo el navegador Internet Explorer, desarrollado por Microsoft, fue el que más se utilizó. Con el tiempo surgieron otros como Firefox, Safari, Google Chrome. Este último es el que más se usa en el mundo. Junto a estos hay otros muchos navegadores cada uno con sus características, que iremos viendo a continuación.

 **Saber más**

Desarrollado por Tim Berners-Lee en la CERN (1990), nace el primer navegador web, llamado World Wide Web. Sin embargo, llega poco después Netscape Navigator y supera crecientemente la velocidad de los demás navegadores. Era el que más se utilizó por ejemplo en entornos Windows.

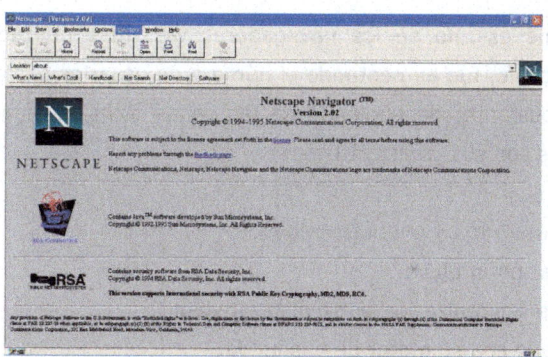

Imagen del navegador Netscape

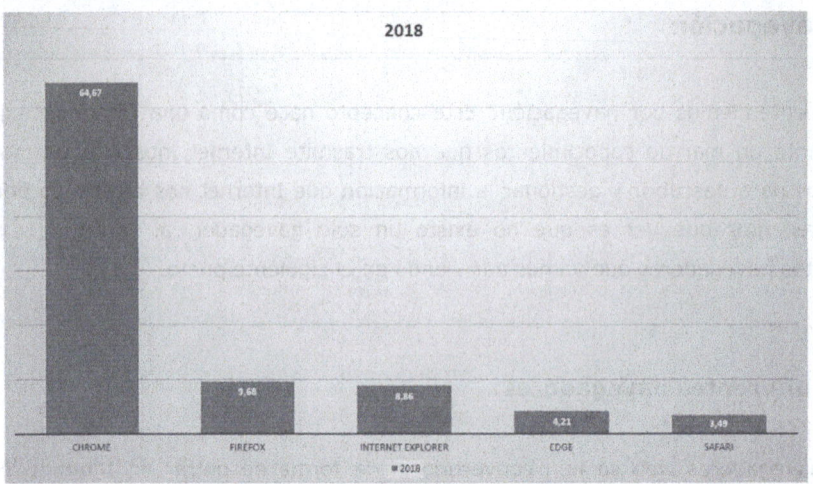

Navegadores principales por su uso en 2018

A. Google Chrome

Logo de Google Chrome

Google Chrome es uno de los navegadores web más utilizados en el mundo. Creado por Google, fue aumentando el número de usuarios hasta convertirse en el primero, no obstante, dependiendo de las zonas otros navegadores ocupan esa posición. Estas son sus características:

- Multiplataforma y multidispositivo.
- Navegación intuitiva.
- Permite sincronización entre dispositivos.
- Integrado con su motor de búsqueda.
- Su propia tienda de extensiones para ampliar la experiencia de uso.

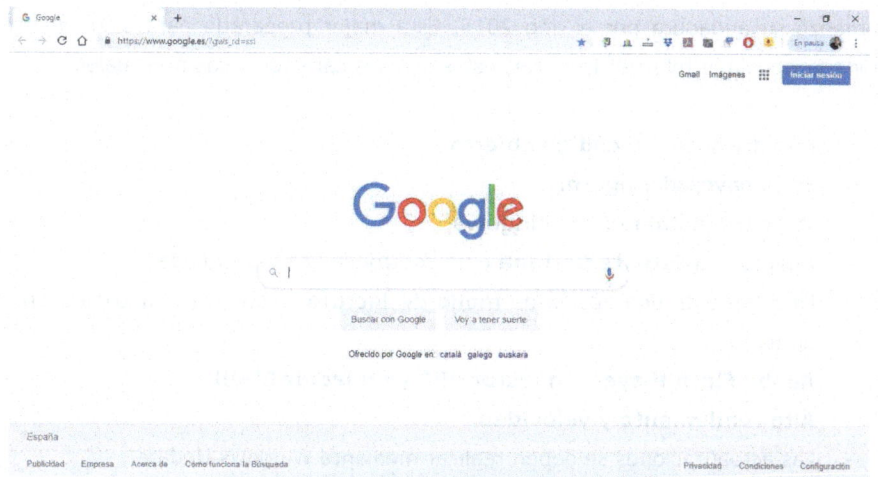

Ventana de Google Chrome

B. Microsoft Edge

Internet Explorer fue el navegador que usaba Windows, si bien sigue instalado en las nuevas versiones de Windows, realmente está siendo sustituido por una versión más moderna denominado **Microsoft Edge.**

Logo de Microsoft Edge

Algunos sitios Web sólo funcionan correctamente con Internet Explorer, sin embargo, son pocas, porque la mayoría se han actualizado a otros sistemas. La última versión es la 11 y desde Microsoft se anuncia que, por temas de seguridad, se recomendaba a aquellos usuarios que utilizaban aun este navegador, comenzaran a usar su sustituto que es Microsoft Edge.

Comenzó su andadura por el año 2015. Está mejor preparado para sitios web más modernizados que Internet Explorer, estas son sus características principales:

- Está diseñado con **código abierto**.
- Es un navegador **ligero.**
- Viene **preinstalado en Windows**.
- Integra el **asistente Cortana** para control de voz y búsqueda.
- Lleva incluida una opción de **modo de lectura**. Lee en voz automáticamente un texto.
- **Adobe Flash Player, un lector PDF y un lector EPUB**.
- **Alto rendimiento y velocidad.**
- Las actualizaciones se deben realizar mediante Windows Update.
- Sólo es **compatible con versiones de Windows**.
- Entre las novedades, este navegador permite a los usuarios **hacer anotaciones** en las páginas webs y almacenarlas o compartirlas con OneDrive.

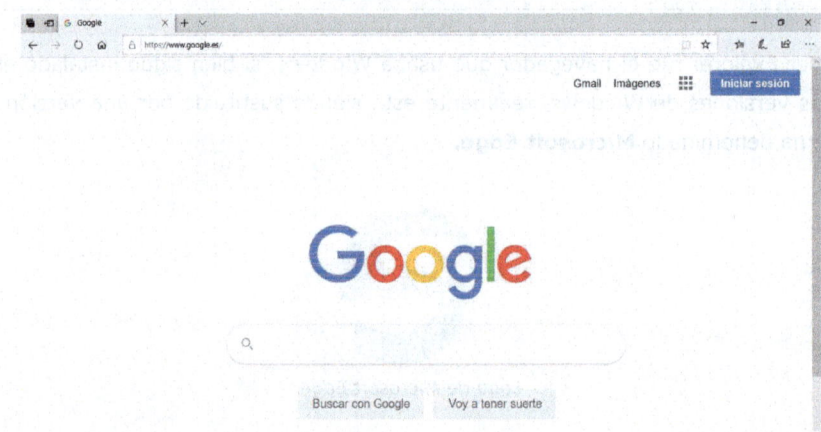

Ventana de Microsoft Edge

C. Internet Explorer

Internet Explorer es el **navegador predeterminado de todas las versiones de Windows** desde 1995 hasta Windows 8. Bien es cierto que aparece incluido en Windows 10 ha sido uno de los navegadores más empleados en la historia, por su integración en este sistema operativo. Todavía sigue siendo uno de los navegadores más empleados.

Logo de Internet Explorer 11

Ventana de Internet Explorer

D. Mozilla Firefox

También conocido como *Firefox*, es un navegador libre y de código abierto.

- **Multiplataforma**: Windows, Mac OS, Linux, Android.
- **Tras de Safari, Firefox es uno de los navegadores preferidos para OS X** y de los más populares.
- Presenta numerosas **opciones para personalizar y configurar**.

Logo de Mozilla Firefox

- **Gran cantidad de extensiones**.
- Es el **preferido por los desarrolladores,** por las herramientas que posee.
- **Especializado en la privacidad y seguridad**.

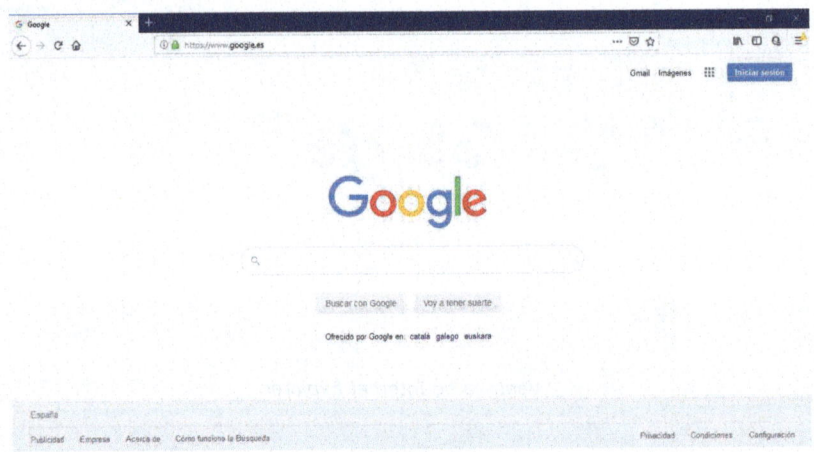

Pantalla de Mozilla Firefox

E. Otros navegadores

1. Opera

Logo de opera

Sus características son las siguientes:

- Gracias a sus **requisitos mínimos** para el funcionamiento, es la versión más recomendada para dispositivos lentos o de escasa potencia.
- Opera también sobresale por su manera de **conectarse rápida y ligera,** sobre todo si la conexión es lenta.
- Tiene una forma de trabajar algo diferente, con **menús laterales.**

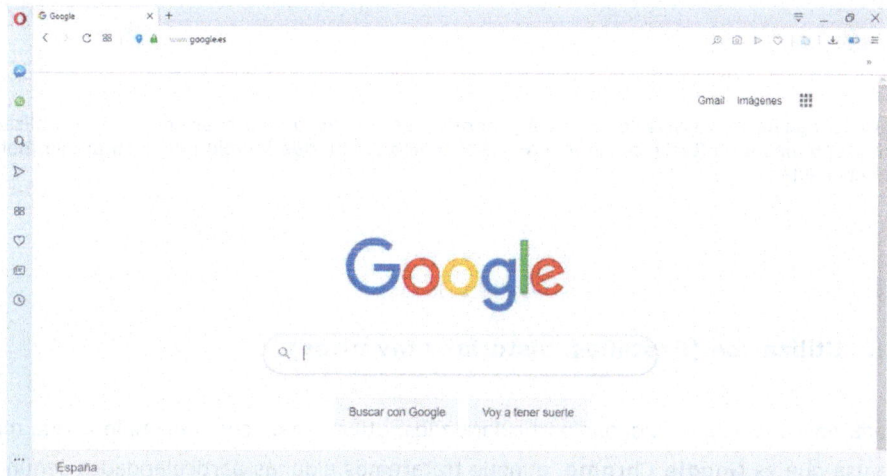

Ventana del navegador Opera

---
2. Safari

Logo de Safari

Desarrollado por **Apple,** Safari es un navegador web diseñado para para iOS y OS X. es el navegador que se utiliza dentro del universo Apple.

- **Potente** navegador.
- Permite la **sincronización de todos los dispositivos** del entorno Apple y con su almacenamiento en la nube, iCloud.
- Prima la **seguridad.**
- **Optimizado para OS X.**
- Posibilidad de añadir numerosas extensiones.

 **Saber más**

Otro navegador muy utilizado por zona geográfica es el navegador y buscador Yandex, utilizado preferentemente en Rusia, o bien el navegador chino Baidu, que también tiene su propio motor de búsqueda.

1.2. Utilización (Pestañas, historial y favoritos)

Cada navegador tiene algunas particularidades, utilizaremos como ejemplo el que más se usa que es **Google Chrome**, aunque trataremos algunas particularidades según el navegador. Lo primero que vamos a ver es el entorno, es decir, *pestañas* y *configuración, ver el historial y favoritos*. Veamos detenidamente cada opción:

A. Pestañas

Las pestañas **han favorecido la navegación**, porque permiten tener abiertas diferentes páginas Web, con las que podemos interactuar al mismo tiempo. Esto da más rapidez al uso de Internet. Si vemos la imagen inferior, tenemos abiertas diferentes pestañas en el navegador, en este caso Google Chrome.

Tenemos varias opciones:

- **Podemos mover** las pestañas, simplemente arrastrando con el botón izquierdo del ratón.
- **Eliminarlas** con la *x* que aparece a la derecha de la pestaña.
- **Añadir** ventanas con el signo +.
- Si pulsamos con el botón derecho del ratón a su vez, podemos **cerrar una o todas las pestañas, eliminar, o fijar la pestaña.**

Pestañas en Google Chrome

Pestañas en Microsoft Edge

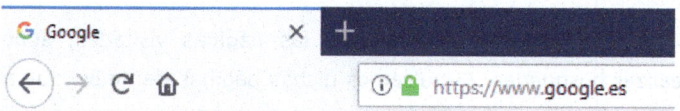

Pestañas en Mozilla Firefox

B. Historial

Los navegadores almacenan un registro en forma de lista, con las páginas que hemos visitado. Esta información la podemos borrar en cualquier momento. Tanto realizar un vaciado completo, como borrar algunas páginas en concreto. Si observamos la imagen podemos ver las opciones.

Anotación

Si usamos la navegación privada o un navegador privado, no dejaremos ningún rastro en el historial.

En el caso de Google Chrome, accedemos pulsando en este icono, y después tenemos la opción de historial.

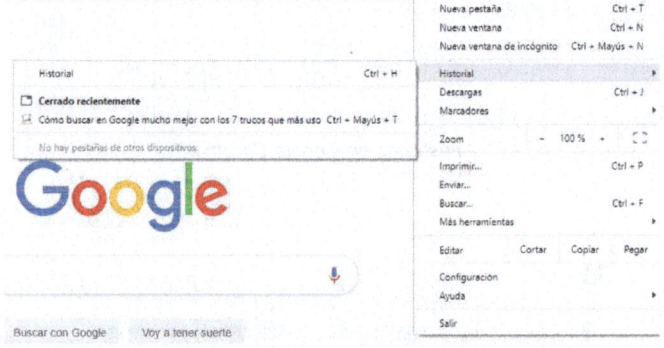

Ventana que accede al historial en Google Chrome

El historial nos muestra cronológicamente las páginas visitadas, aunque también podemos realizar búsquedas. Si pulsamos dichas páginas de nuevo, las abriremos en el navegador. Pero si queremos eliminarlas o ver más entradas de ese sitio, sólo debemos pulsar en este icono.

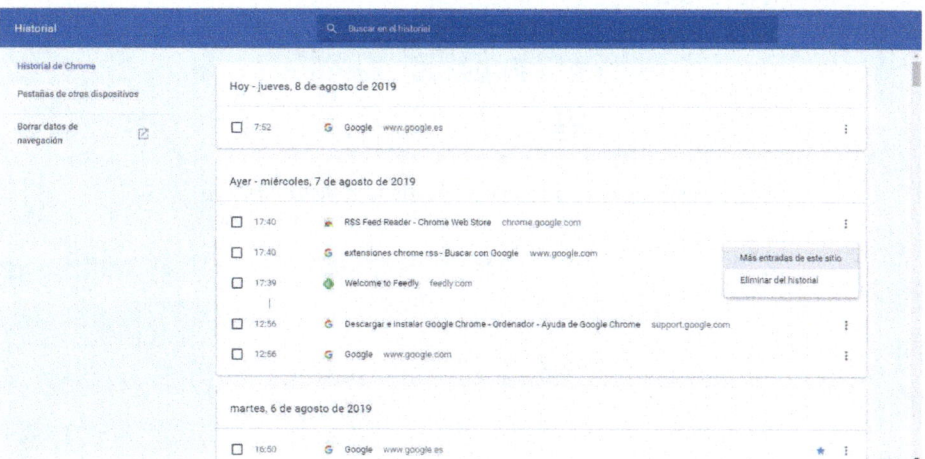

Ventana acceso al Historial de Google Chrome, más detallado.

Si por otro lado queremos borrar los datos de navegación, tenemos esta opción a la izquierda de la pantalla, con lo cual dejaríamos vacío el historial.

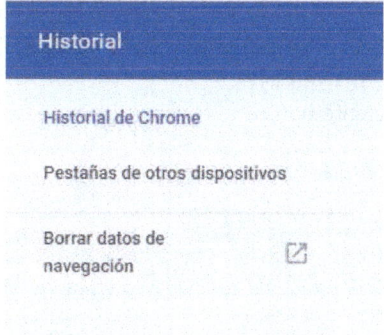

Opción en Google Chrome para borrar datos de navegación

En el caso de Microsoft Edge, si pulsamos en el botón superior a la derecha, de los tres puntos:

Menú superior derecha del navegador Microsoft Edge

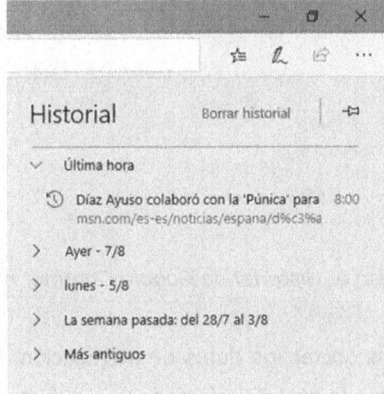

Historial en Microsoft Edge

En la parte superior, donde pone borrar historial, borraríamos todo el historial y si queremos abrir para ver en una fecha en concreto las páginas visitadas, pulsamos al lado de la fecha en el siguiente botón:

Opción para ver el listado de páginas web visitadas en Microsoft Edge

Al pulsar veremos el siguiente listado, y desde aquí, podremos borrar el historial, o si lo queremos es borrar algunas páginas en concreto, pulsar en la *x*, que aparece a la derecha de cada página web visitada.

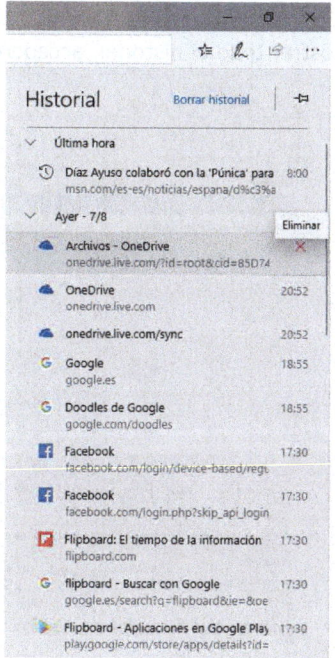

Listado de páginas Web en Microsoft Edge

En Mozilla Firefox, pulsamos primero en catálogo y ahí veremos el historial como se observa en la imagen inferior:

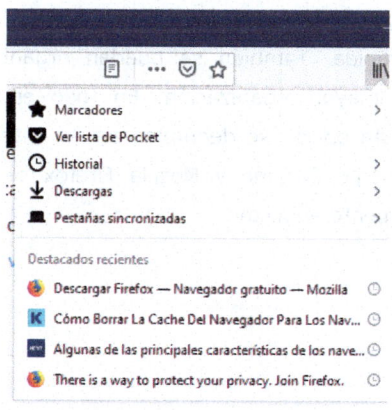

Acceso al historial en Firefox

Si pulsamos en la opción mostrar todo el historial, accederemos a esta ventana:

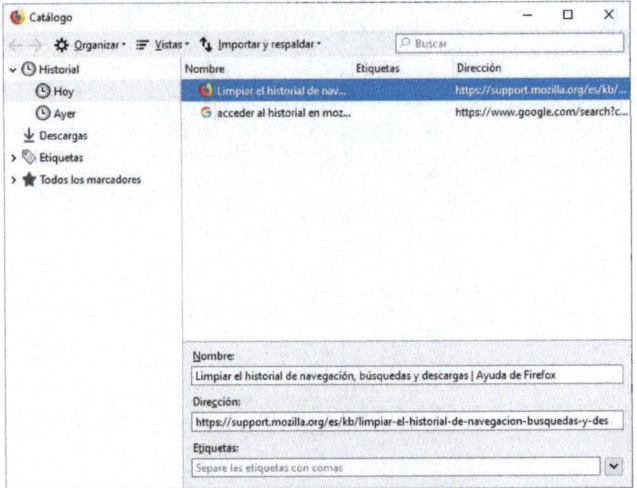

Ventana del historial en Firefox

Desde aquí podemos organizar, eliminar o vaciar el historial.

C. Favoritos

Esta opción sirve para guardar páginas web y facilitarnos la entrada a dichos sitios web de manera más rápida. También se pueden organizar para clasificarlos en distintas carpetas para mayor organización. En todo esto consiste la opción de *Favoritos de Internet*. Esta opción se denomina así en Internet Explorer y Microsoft Edge, en cambio en Google Chrome y Mozilla Firefox se denominan *marcadores*, aunque el uso es exactamente el mismo.

Botón para añadir una página a marcadores en Google Chrome

Tanto en un caso como otro podemos organizar nuestras páginas favoritas, a través de carpetas, crear carpetas, o eliminarlas, aquí tenemos un ejemplo **en Google Chrome.**

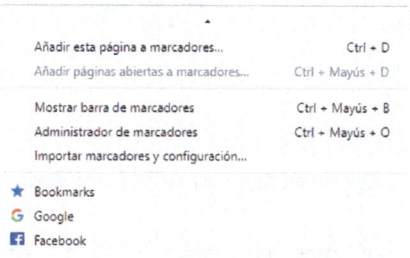

Aquí podemos ver la opción de favoritos en el navegador de Google Chrome

Pulsando en la opción de administrador de marcadores, podremos organizar los marcadores, crear carpetas, etc.

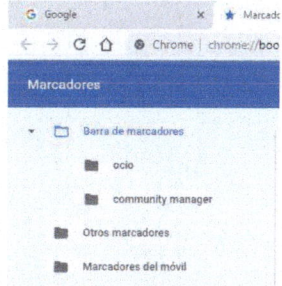

Opción de administrar marcadores en Google Chrome

- En **Microsoft Edge**, pulsando la opción de historial, podemos acceder a favoritos y configurar, igual que en el caso de Google Chrome.

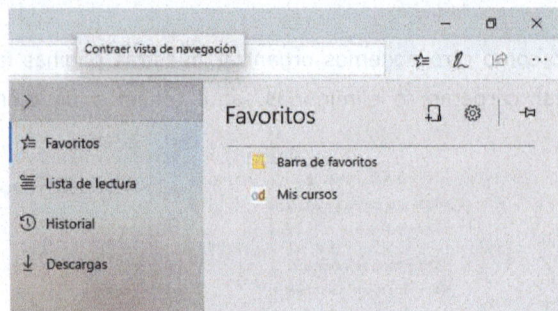

Opción de favoritos en Microsoft Edge

- **En Firefox** si pulsamos en *catálogo*, como en el caso del historial, accederemos al historial y después al pulsar *mostrar todos los marcadores* aparecerá esta ventana, que nos permitirá organizar nuestros marcadores.

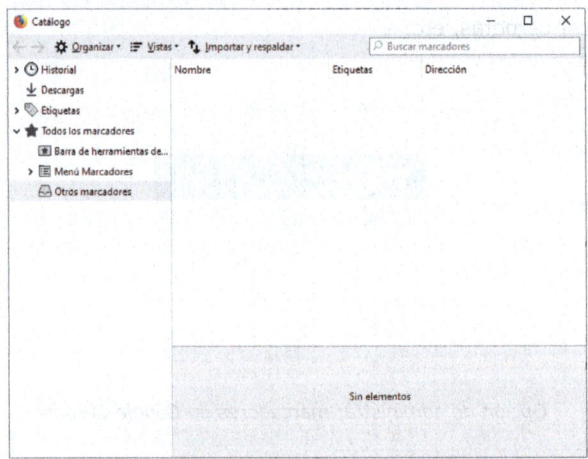

Ventana mostrar todo el historial en Firefox

1.3. Configuración básica. (Página de inicio, buscador preferido, borrado de caché)

Todos los navegadores, presentan una serie de opciones que se suelen dividir en configuración básica y avanzada. En el caso de la configuración básica tenemos varias opciones que son imprescindibles que sepamos configurar.

A. Página de inicio

Es la página inicial que se carga al abrir el navegador, como vemos en la imagen inferior. Puede aparecer como en este caso o por ejemplo en el caso de Google Chrome:

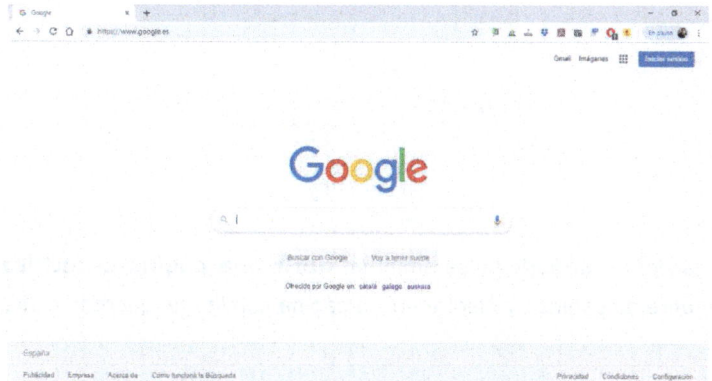

Navegador Google Chrome con la página de inicio con Google.es

1.   Google Chrome

Para modificar la página de inicio en Google Chrome hay que seguir los siguientes pasos:

1. **Pulsar en este icono que está a la derecha del navegador**, en la parte superior. Aparecerá el menú que vemos en la imagen inferior, luego pulsaremos en *configuración*.

Botón para acceder al menú

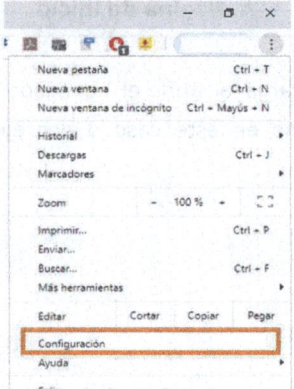

Opción de configuración

2. En la opción al abrir pulsaremos en **abrir una página específica** o con un conjunto de páginas y elegiremos la página con la que queremos iniciar.

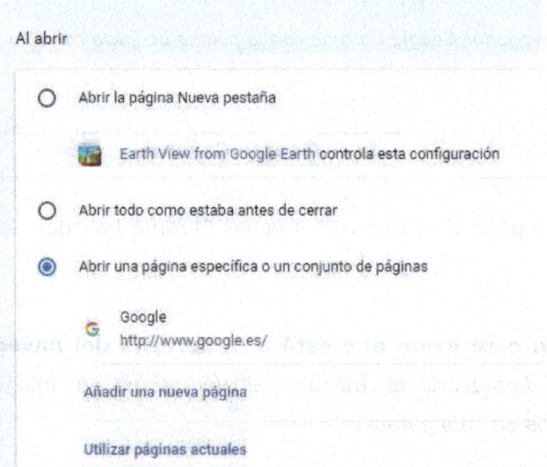

Opción de abrir en Google Chrome

---

2. Mozilla Firefox

1. Pulsaremos en el **mismo botón** que en el caso de Google Chrome, aparecerá el menú que vemos en la imagen inferior y después a *opciones.*

Menú en Firefox

2. Pulsaremos **inicio y en la opción de páginas de inicio y ventanas nuevas**, elegiremos por ejemplo url personalizada, si queremos poner como página de inicio Google.es

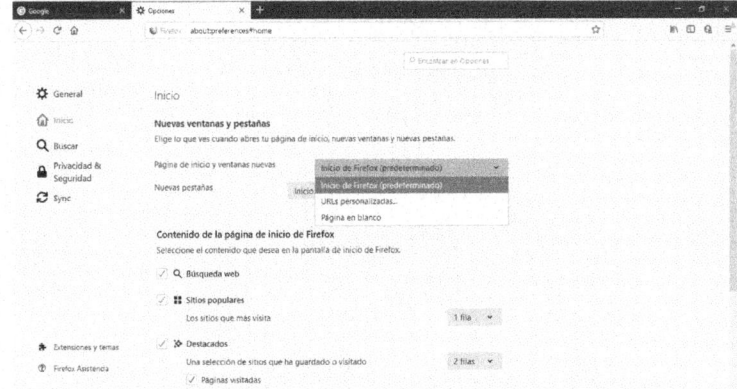

Ventana de Firefox para modificar la página de inicio

Aquí escribiremos la página de inicio.

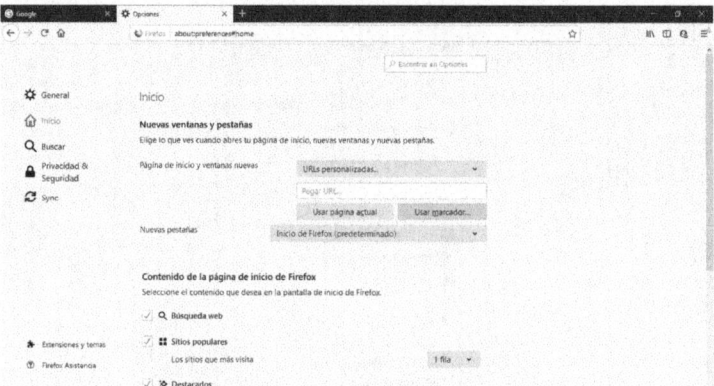

Ventana de Firefox para añadir la página de inicio, manualmente

---

3. Microsoft Edge

---

1. Entraremos en el mismo botón que en el caso de Google Chrome, aparecerá el **menú** que vemos en la imagen inferior y después a *opciones*.

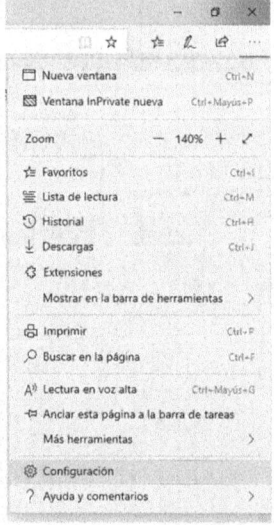

Menú en Microsoft Edge

2. Iremos a la opción **abrir Microsoft Edge** con:

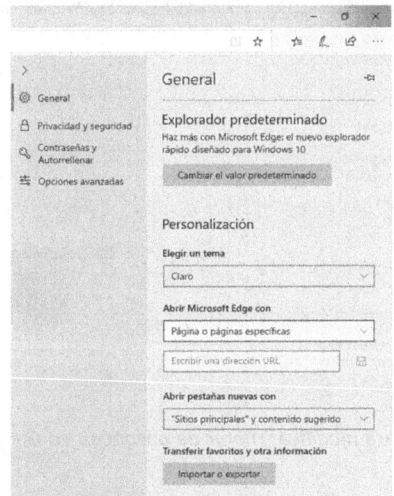

Opción para cambiar la página de inicio

B. Buscador preferido

También denominado **motor de búsqueda,** lo vemos como buscador utilizado en la barra de direcciones, en otros navegadores como Microsoft Edge aparece con el texto *abrir Microsoft Edge con*, en todo caso siempre hay que ir o bien a configuración u opciones, dependiendo del navegador que usemos. Nos aparecerá identificado fácilmente como *poder cambiar este motor de búsqueda*. Por defecto en Microsoft Edge el motor de búsqueda es Bing, mientras que en Google Chrome el motor de búsqueda es Google.

1. Google Chrome

Al igual que para el caso de página de inicio, **vamos a la opción *buscador*** y veremos en la barra de direcciones que aparecerá una lista desplegable:

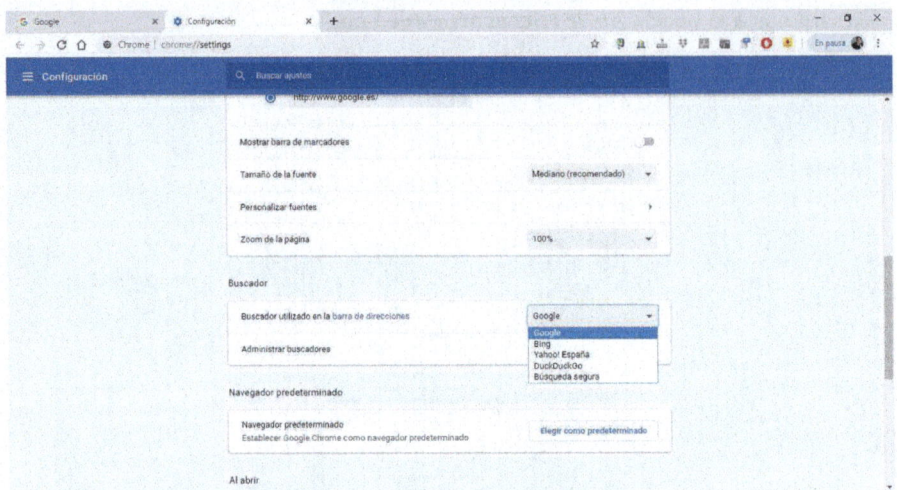

Ventana para modificar motor de búsqueda en Google Chrome

2. Mozilla Firefox

En Mozilla una vez que vamos a opciones pulsamos la opción **buscar** y veremos una opción llamada *buscador predeterminado*, y en la lista desplegable, lo modificamos:

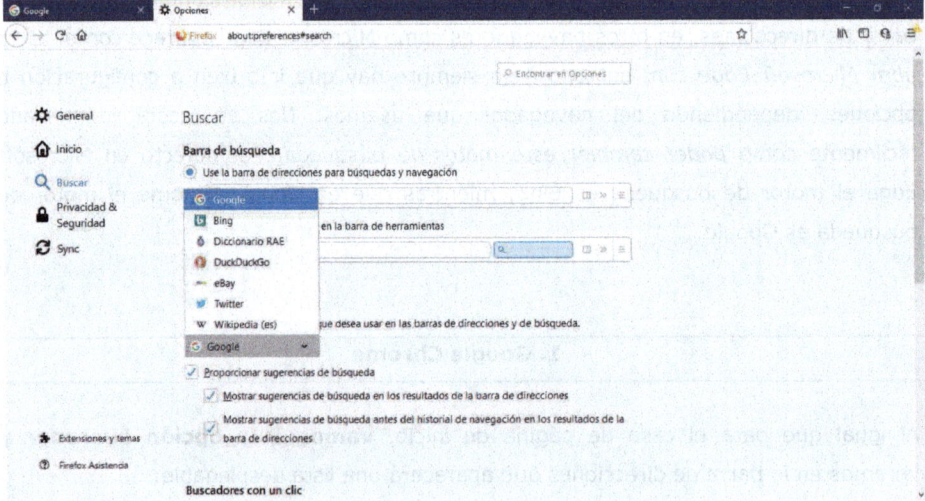

Opción de búsqueda predeterminada en Firefox

3. Microsof Edge

1. Una vez llegamos a opciones, debemos pulsar **en opciones avanzadas.**

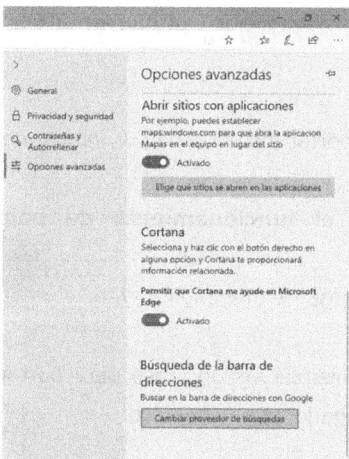

Ventana de opciones avanzadas

2. Después, en cambiar **proveedor de búsquedas:**

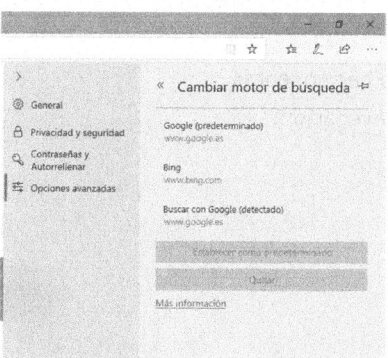

Opción para cambiar el motor de búsqueda en Microsoft Edge

3. Una vez elegido pulsamos el botón de **establecer como predeterminado.**

C. Borrado de caché

Cuando visitamos un sitio web, el navegador web guarda cierta información de ese sitio en el disco duro de nuestro dispositivo, denominado caché o caché de navegación. Esto facilita la navegación, ya que evita descargar los mismos recursos otra vez.

Pero a veces es necesario borrar dicha caché por varios motivos:

- **Interferencia en el funcionamiento de páginas Web** que han sido actualizadas.
- **Problemas** en la carga de una página Web.

Según el navegador que usemos las opciones para borrar la caché serán diferentes, vamos a verlo en dos navegadores en concreto:

1. Google Chrome

1. Hagamos clic en el icono de tres puntos en la parte superior derecha de la ventana de su navegador.
2. Ir a la opción más herramientas.
3. Borrar datos de navegación.

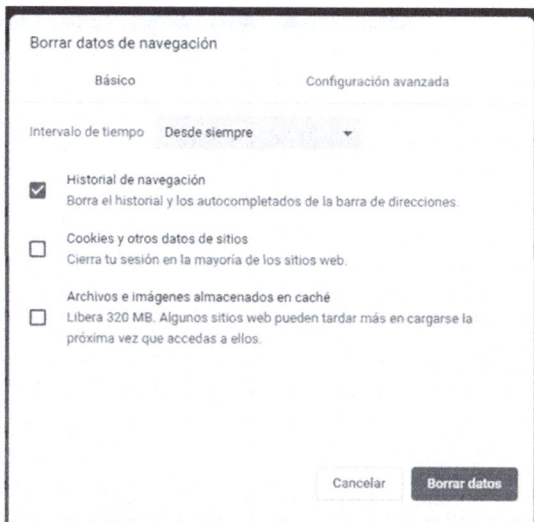

Opción para borrar archivos e imágenes almacenados en caché en Google Chrome

2. Mozilla Firefox

Hagamos clic en el **icono de tres puntos** en la parte superior derecha de la ventana de su navegador.

1. Ir a la opción opciones y después en privacidad y seguridad.
2. En la opción de cookies y datos del sitio, después en limpiar datos.
3. Se marca sólo contenido web en caché y se le da a limpiar.

 **Saber más**

También se podría eliminar la opción de *cookie*, estos son pequeños ficheros que contienen información enviada por un sitio web y almacenada en el navegador del usuario. En general su eliminado depende de varios factores, como mantener la privacidad, por ejemplo.

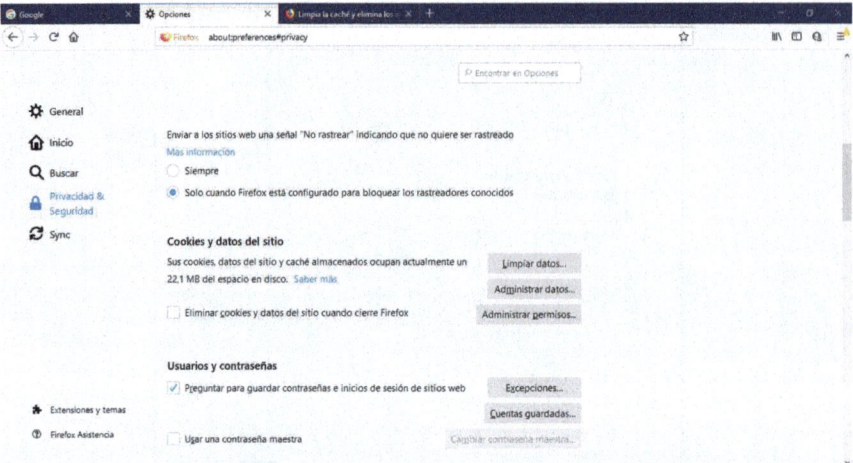

Opción de Firefox para borrar la caché

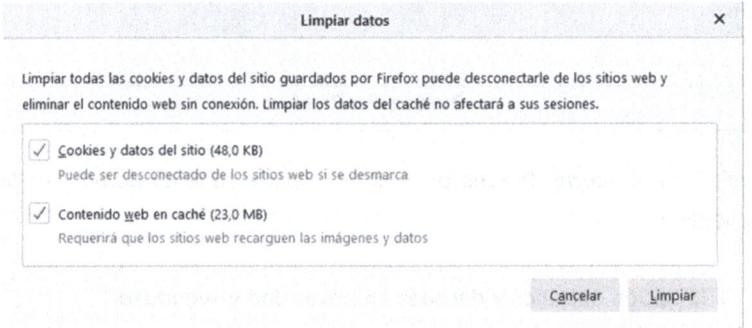

Opción para borrar caché "contenido web en caché" en Firefox

---

3. Microsoft Edge

1. Hagamos clic en el icono de tres puntos en la parte superior derecha de la ventana de su navegador.
2. Pulsamos en privacidad y seguridad.
3. Pichamos en elegir lo que se debe borrar. Aquí elegimos la opción de datos y archivos en caché.

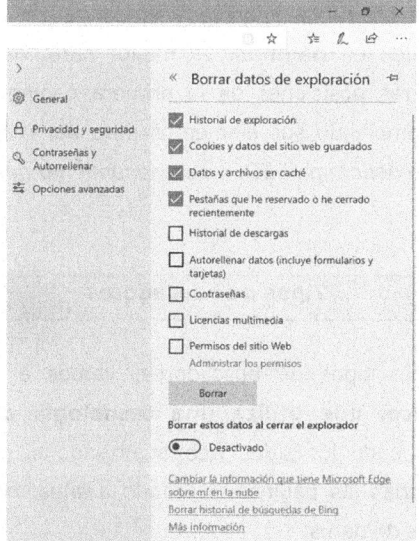

Opción de Microsoft Edge para eliminar la caché

2. Búsqueda de información

La información que se genera en internet es cada vez mayor y crece día a día, naturalmente no todo es de una calidad que nos permita aprovechar esta cantidad de información, por esa razón utilizamos los **motores de búsqueda o buscadores**. En realidad, podemos definirlo como una aplicación que usa un algoritmo para clasificar las distintas páginas web, imágenes, y toda clase de recursos, dentro de una enorme base de datos que se va actualizando.

2.1. Los buscadores

En la introducción hemos definido qué es un buscador o motor de búsqueda. **Las búsquedas se hacen con palabras escritas o en voz**, y la información que vamos a buscar pueden ser de varios tipos; Web, imágenes, videos, noticias, ubicación...

El resultado de nuestra búsqueda aparecerá siguiendo un orden, desde la primera hasta la última y dividida en **páginas**. La mayor parte de enlaces visitados, son precisamente las primeras posiciones de la primera página, esto que es debido a **algoritmos** que van cambiando sus elementos para dar mayor importancia a unos aspectos sobre otros. Se denomina *SEO*, o *posicionamiento natural*.

Tipos de buscadores

Si bien existen distintos tipos de buscadores, vamos a centrarnos en un tipo **denominado *jerárquico*, que utiliza una tecnología denominada *arañas* o *spider***, que van recorriendo los sitios web analizando el contenido. La tarea que cumplen es registrar todas las páginas utilizando *arañas*, clasificando, indexando y almacenando en su base de datos.

Clasificación de los buscadores más utilizados en el mundo

1. Google

El buscador de Google o buscador web de Google (en inglés Google Search) es un motor de búsqueda, fue desarrollado originalmente por **Larry Page y Sergey Brin en 1997.** Las páginas de resultados de Google se basan en un rango de prioridad llamado PageRank.

 **Truco**

1. Entrecomillar las palabras nos sirve para indicar frases exactas. Por ejemplo en "Catedral de Málaga", Google sólo devolverá resultados con la frase exacta
2. Excluir palabras con el signo "-" y forzar la inclusión con "+", por ejemplo, catedral de málaga+horario
3. Usando el asterisco "*", por ejemplo, talleres de coche "hermanos *".

La frecuencia de uso de los términos de búsqueda ha alcanzado un volumen que puede mostrar las tendencias (en inglés trend), de diversas temáticas. Los datos sobre la frecuencia de uso de los términos de búsqueda en Google (disponible a través de Google Adwords, Google Trends).

Progresivamente se han ido introduciendo cambios hasta llegar al formato actual donde se permite no sólo la búsqueda de imágenes, también acceso a otra clase de servicios como es Gmail, correo electrónico, Google Maps, documentos online, almacenamiento en la nube, etc.

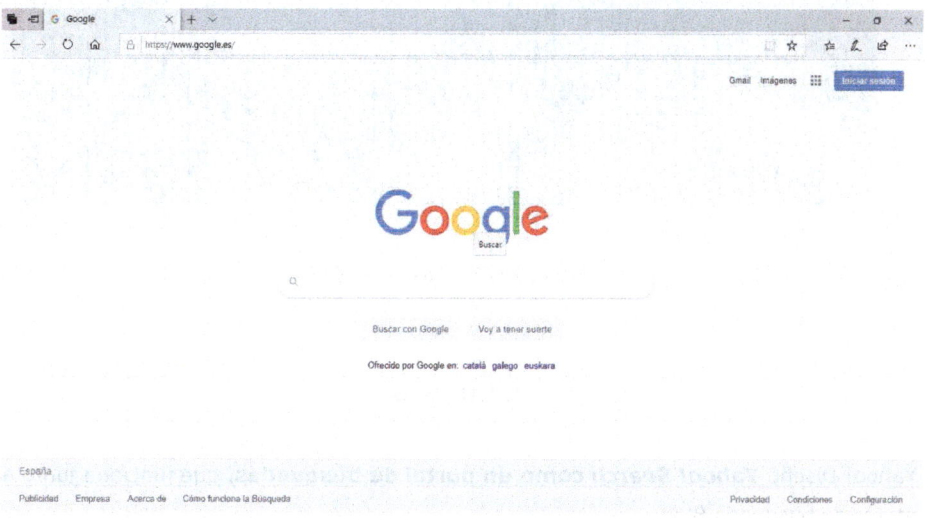

Ventana del buscador de Google

2. Bing

Microsoft desarrolló este buscador para intentar competir con su principal competidor, Google.

Como vemos en la imagen inferior, es un buscador actualizando, a diferencia de otros buscadores. Ofrece servicios como *la foto del día, información, eventos ocurridos...*

Bing dispone de herramientas para buscar imágenes, noticias, ofrece un servicio de mapas, resultados de deporte, traductor de páginas webs completas y otros servicios.

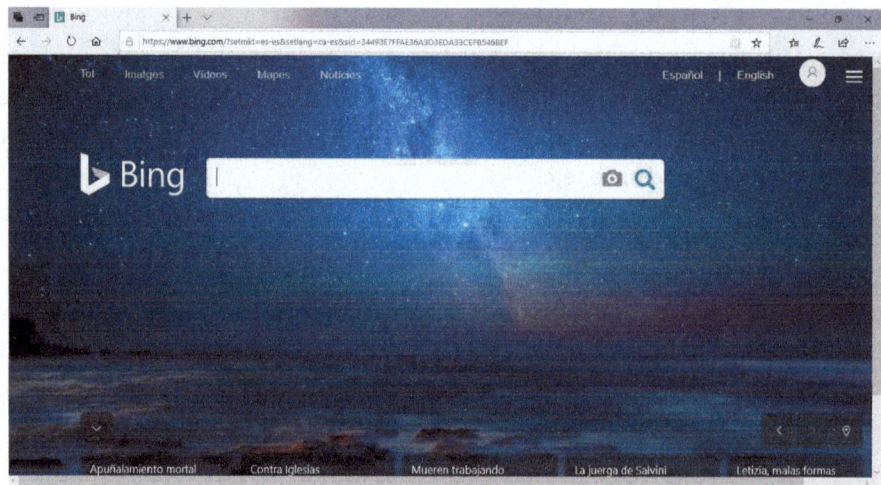

Ventana del buscador Bing

3. Yahoo.es

Yahoo! Diseñó **Yahoo! Search como un portal de búsquedas,** que funciona junto al motor de búsqueda Bing.

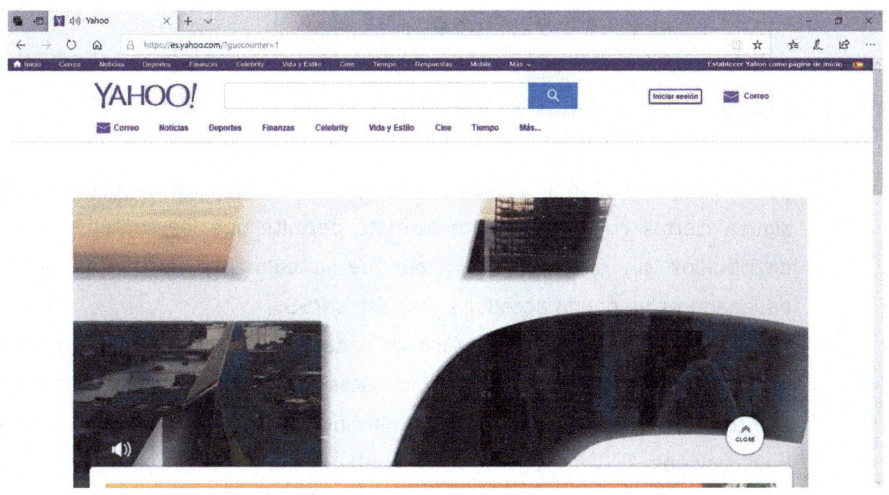

Ventana del buscador Yahoo!

Detrás de **Google, Baidu y Bing,** está en una cuarta posición. Al principio comenzó como un directorio, organizado en categorías web de otros sitios Web, de esa manera tenía diferencias con otros navegadores que buscaban a través de un índice.

En la década de los 90, Yahoo! se convirtió en un portal con una interfaz de búsqueda y en 2007, una versión limitada de búsqueda basados en la selección.

2.2. Fuentes RSS

Vocabulario

Feed: canal web o fuente, es decir un medio de difusión de contenidos web a través de la red.

Se usa para suministrar actualizada e información frecuente a una lista de suscriptores.

RSS

RSS son las siglas de Really Simple Syndication:

- Se utiliza para difundir reciente información a una lista de usuarios que siguen ciertos contenidos. Este formato permite que los contenidos sean distribuidos sin un navegador, aunque actualmente desde los propios navegadores se puede acceder a leer estos RSS.
- Fuentes RSS son una forma fácil de estar al día con los sitios web de nuestra preferencia, como blogs o revistas en línea. Si un sitio ofrece una fuente RSS, se pueden recibir notificaciones cuando hay nuevas publicaciones.
- Estas actualizaciones RSS se configuran a través de gestores de correos, como es el caso de Microsoft Outlook.

Sugerencia

Existen una serie de aplicaciones RSS tanto para el ordenador, como también para dispositivos móviles, bien sean y smartphone o tablet.

1. Flipboard

Flipboard se caracteriza por una interfaz intuitiva, dinámica y gratuita se organiza en *feeds* muy similar a como se realiza en una revista, pudiendo crear varias de ellas con el contenido agrupado de acuerdo a interés.

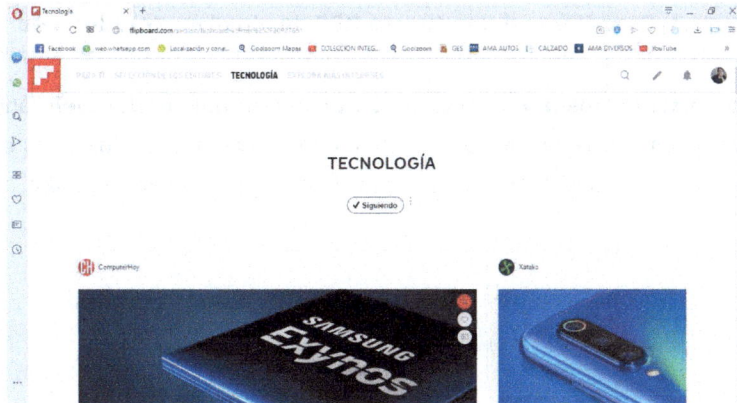

Ventana de Flipboard

Flipboard se encuentra disponible para para la mayoría de dispositivos móviles, así como también sistemas operativos. También se ofrece como extensión de Google Chrome.

2. Feedly

Es un lector de RSS gratuito, igualmente tiene las mismas características que Flipboard, y está disponible tanto como extensión de Google Chrome, como también para cualquier dispositivo móvil

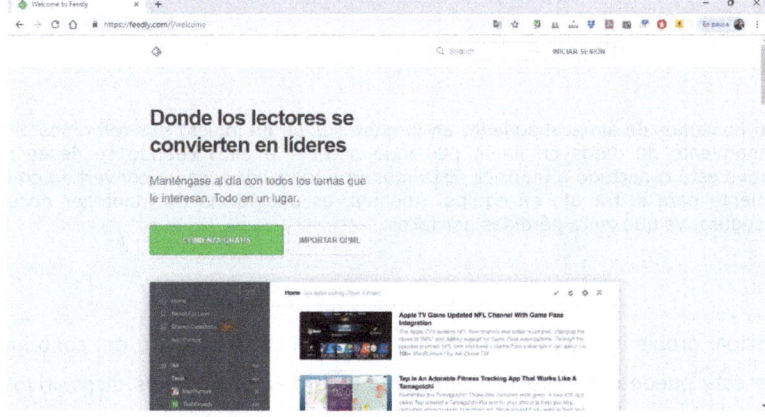

Ventana de Feedly

---
3. Suscribirse a una fuente RSS desde el explorador web

Podemos **suscribirnos a una fuente RSS desde un navegador web** tanto a través de la extensión que vemos en la imagen inferior, como a través de otras extensiones como hemos visto anteriormente, cuando hablamos de Flipboard o Feedly.

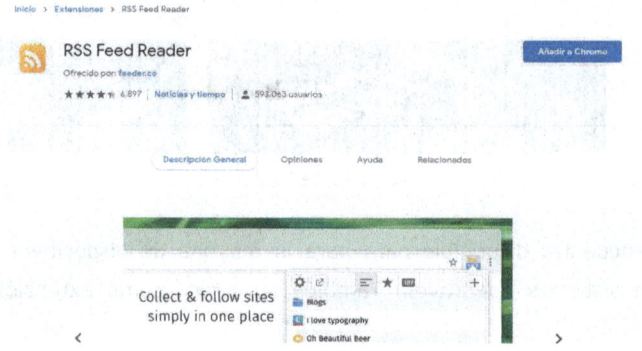

Extensión para Google Chrome

3. Almacenamiento y recuperación de contenido digital

Cuando hablamos de almacenamiento en la nube (*Cloud* en inglés) nos referimos al sistema de almacenamiento de datos en línea, pudiendo acceder a ellos cuando se desee mientras el dispositivo esté conectado a internet. Esta moderna modalidad, se ha convertido en una valiosa herramienta para el trabajo en equipo. Además, es una forma de mantener documentos de forma segura, ya que evita pérdidas por fallos.

El principal problema a la hora de tratar con el almacenamiento del contenido digital, es que éste puede deteriorarse, tanto si lo dejamos en nuestros dispositivos, como si realizamos copias de seguridad en dispositivos externos, bien sean pendrives o discos duros externos. La mejor manera de conservar nuestros ficheros y con mayor seguridad es dejarlo almacenado en lo que se denomina almacenamiento en la nube, o Cloud. Aunque no existe una seguridad total, si es cierto que tenemos mayor posibilidad de no perder esta información si la tenemos almacenada en la nube.

En este punto de la unidad vamos a ver qué es el almacenamiento en la nube y cuáles son sus ventajas. Detallaremos las características de algunos de los principales proveedores.

A. Características generales

- Es en gran parte un **servicio gratuito**, cada uno de los proveedores ofrecen una serie de capacidades, desde 4 gigas de Dropbox a 15 gigas de Google Drive.
- Ofrece opciones para realizar **copias de seguridad.**
- El **mantenimiento del servicio**, lo realiza la propia empresa.
- **Opciones de seguridad**.
- **Acceso a nuestros archivos desde cualquier dispositivo**.
- **Compartir** información, carpetas o documentos con otros usuarios.
- Para entrar necesitaremos un **usuario y contraseña**.

 **Importante**

A veces por motivos de seguridad y cuando usamos otros dispositivos, nos pueden enviar un código de seguridad anexo a nuestro dispositivo móvil para verificar nuestra identidad.

B. Google drive

Google Drive es un **sistema de almacenamiento en la nube**, desde donde tenemos la posibilidad de acceder a nuestros archivos de *Google Drive* en cualquier dispositivo. Desde él también puedes acceder a la *Suite de Google* y a los archivos locales que usa Google Drive para guardar todos los archivos.

Logo de Google Drive

En él puedes guardar cualquier tipo de documento. Presentaciones, música, fotos, vídeos, archivos compartidos, carpetas compartidas, etc.

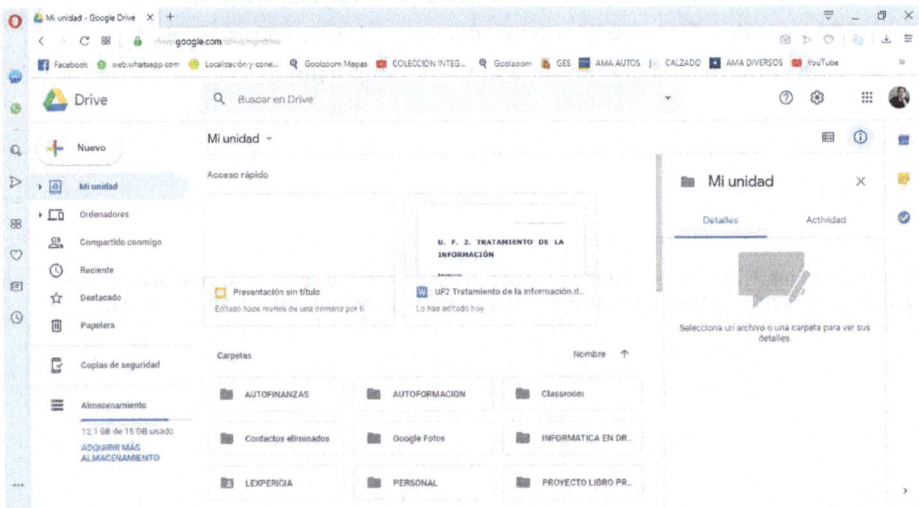

Ventana de Google Drive

- Viene incluido en su cuenta de Gmail.
- La cuenta gratuita tiene mucho espacio, 15 gigabytes.
- Es intuitivo.
- Se puede subir cualquier tipo de archivo.
- Organizar los archivos es fácil.
- No es necesario instalar ninguna aplicación.
- Tiene incluidas aplicaciones de Google.
- Compartir ficheros o carpetas.
- El acceso a Google Drive está garantizado simplemente con el uso de la cuenta de correos de Gmail.

De entre las acciones que podemos realizar:

- Crear carpetas.
- Subir archivos.
- Subir carpetas.
- Crear un documento de Google.
- Podemos ver las carpetas o archivos que han compartido con nosotros
- Papelera, donde se encuentran los archivos borrados
- Las copias de seguridad que tenemos realizadas

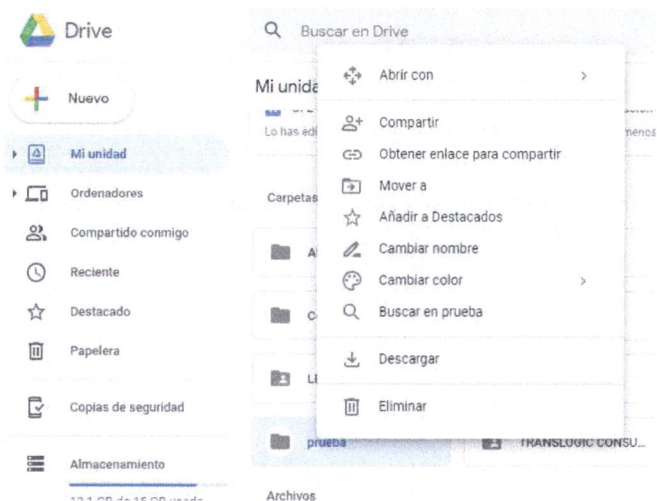

Opciones de Google Drive

En la imagen inferior, tenemos la opción de compartir, podemos compartir carpetas o documentos, y solo tenemos que poner los correos electrónicos de aquellos usuarios con los que queremos compartir la información.

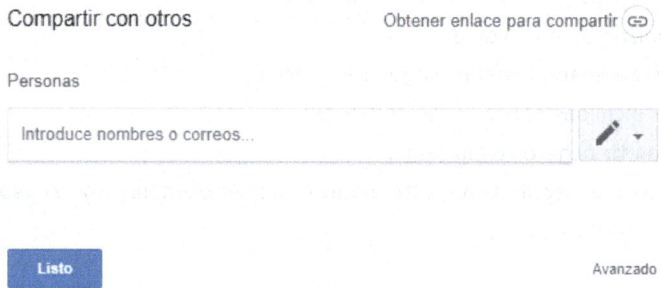

Opción de compartir en Google Drive

Para subir archivos podemos realizarlo de dos maneras, o bien arrastrando desde la carpeta local, o bien usando la opción + *nuevo*, donde podemos subir archivos o carpetas, al pulsar en la opción.

Botón + para añadir carpetas o documentos

Después elegimos o bien *subir archivos, o subir carpetas* como vemos en la imagen inferior:

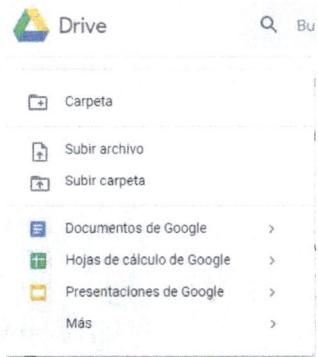

Opciones al pulsar +

C. Google fotos

Logo Google fotos

Es una aplicación informática multiplataforma, integrada con la cuenta de Google, de manera que podemos intercambiar, compartir, descargar fotografías y vídeos. Separado de Google Drive, es un sistema de almacenamiento que no está restringido por las limitaciones de espacio gratuitos de Google Drive.

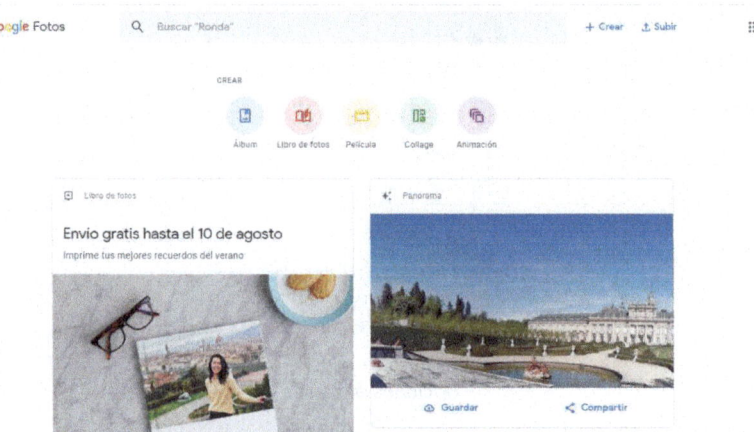

Ventana de Google fotos

A través de estas opciones, podemos crear álbumes, libros de fotos, películas, crear animaciones, *collage*, carpetas, compartir archivos o carpetas, subir fotos desde nuestro ordenador, o bien si tenemos activado la opción automática, desde nuestros dispositivos móviles.

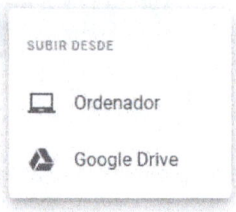

Opción de Google fotos, para subir fotos desde el ordenador o Google Drive

D. Dropbox

Logo de Dropbox

Dropbox es un servicio de alojamiento de archivos multiplataforma en la nube, diseñado por la empresa Dropbox. El servicio permite:

- **Almacenar** y **sincronizar** archivos en línea y entre ordenadores.
- Existen **versiones gratuitas y de pago**, cada una de las cuales tiene opciones variadas.
- Se pueden **realizar copias de seguridad**.
- **Compartir** archivos y carpetas con otros usuarios.

Ventana de Dropbox

 **Anotación**

Algunas aplicaciones de almacenamiento en la nube, te van ofreciendo más capacidad, siguiendo algunos de sus recomendaciones o planes, como por ejemplo seguirlos en las redes sociales.

E. OneDrive

Diseñado por la **empresa Microsoft, es otra aplicación de almacenamiento de archivos en la nube**, con similares características a las aplicaciones que hemos visto hasta ahora. Una de las opciones más interesantes es que dispone de un histórico de los últimos movimientos, de forma que podemos recuperar un archivo que haya sido borrado hasta 30 días antes.

OneDrive

Logo OneDrive

- Ofrece 5 GB actualmente gratuito.
- La propuesta de Microsoft, OneDrive, se sincroniza con el correo electrónico Outlook.

Ventana de OneDrive

F. ICloud

Logo de iCloud

Creado en 2011, iCloud se trata de un sistema de almacenamiento en la nube de Apple. Las características son similares a lo visto anteriormente. Los datos se almacenan en los servidores de Apple.

G. Copias de seguridad

Ventana copias de seguridad en Google Drive

En los sistemas de almacenamiento en la nube, podemos realizar copias de seguridad tanto de nuestro ordenador, como de dispositivos móviles.

En esta imagen inferior, podemos ver las distintas copias de seguridad.

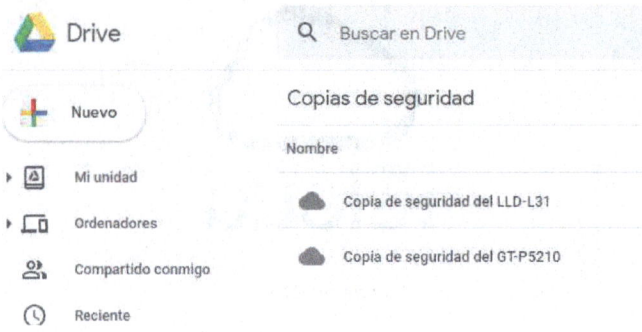

Opción copias de seguridad en Google Drive

Si queremos **descargar algunos o algún fichero**, pulsamos con botón derecho del ratón *ficheros*. Podemos descargarlos como se ve en esta imagen:

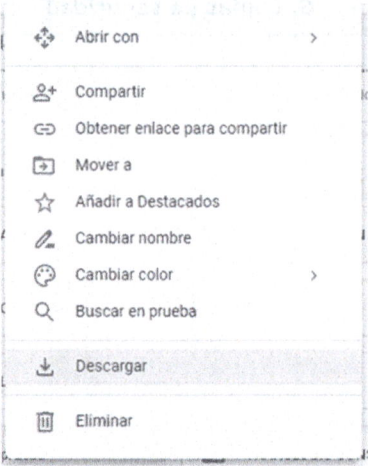

Opción en Google Drive para descargar archivos o carpetas

En esta imagen inferior, podemos ver el archivo descargándose, si son varios ficheros lo realizará en un archivo comprimido con extensión *.zip*. Necesitaremos un programa para descomprimir archivos; en el caso de Windows viene por defecto.

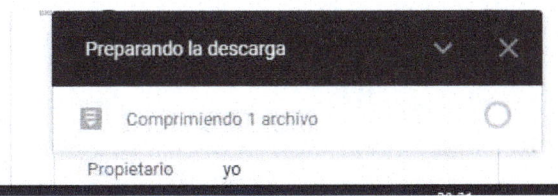

Ventana que muestra un archivo comprimiéndose y descargándose en un equipo informático

 **Sugerencia**

Debe elegir un sistema de almacenamiento en la nube que se ajuste exactamente a sus necesidades.

Resumen

En esta unidad nos hemos detenido en aspectos relevantes para el tratamiento de la información. Hemos visto todo lo relacionado a la navegación, búsqueda de información y cómo dicha información la almacenamos y recuperamos, utilizando para ello servicios especializados en ello.

Los navegadores web se han convertido en la forma de entrar en Internet. En su tiempo el navegador **Internet Explorer, desarrollado por Microsoft**, fue el que más se utilizó. Con el tiempo surgieron otros como **Firefox, Safari, Google Chrome,** siendo este último que es el más se usa en el mundo.

Después estuvimos viendo aspectos esenciales en la navegación como**, las pestañas y cómo configurar y ver el historial y favoritos** y para qué sirven.

Las pestañas han favorecido la navegación, porque permiten tener abiertas diferentes páginas web, con las que podemos interactuar al mismo tiempo. Esto da más rapidez al uso de Internet.

Salvo que usemos una navegación privada que es una opción que nos permite no dejar rastro en el **historial, el navegador almacena un registro con las páginas que hemos visitado**. Esta información la podemos borrar en cualquier momento.

Existen *favoritos* o marcadores según el navegador Web que estemos utilizando. Esta opción sirve para guardar páginas web, pudiendo entrar sin necesidad de buscarlas de nuevo o acceder en todo caso al historial. También se pueden organizar para clasificarlos en distintas carpetas para tenerlo más ordenado.

El **borrado de la caché** es otro elemento de configuración. El navegador web guarda cierta información de ese sitio en el disco duro de nuestro dispositivo, denominado caché, o caché de navegación.

Para buscar información en Internet usamos **los motores de búsqueda o buscadores**. En realidad, podemos definirlo como una aplicación que usa un algoritmo para clasificar las distintas páginas web, imágenes, y toda clase de recursos, dentro de una enorme base de datos que se va actualizando. Entre algunos buscadores tenemos a *Google, Bing...*

Otro elemento dentro de esta unidad que hemos estudiado han sido las **RSS,** que se utilizan para difundir información reciente a usuarios que siguen los contenidos del portal.

Por último, hemos visto que **el almacenamiento en la nube es un servicio que nos permite guardar y administrar datos a través de Internet** en servidores de terceros, permitiéndonos tenerlos siempre disponibles y accesibles desde cualquier dispositivo conectado a Internet. Facilita el trabajo en equipo, permitiendo compartir y editar archivos entre diferentes personas. Evita pérdidas de información por fallos de hardware o problemas de seguridad. Algunos de estas aplicaciones son Google Drive, Dropbox, OneDrive.

Glosario

Algoritmo de búsqueda

Está creado para encontrar un elemento concreto, dentro de la organización de los datos de una computadora.

Gestores de correos

También llamado cliente de correo electrónico. Se trata de un programa usado para las acciones básicas de correo electrónico, como son leer y escribir mensajes. Dichos mensajes se almacenan en el propio dispositivo, permitiendo leerlos o redactarlos cuando se desee.

Google Adwords

Se trata de un programa creado por Google que ofrece publicidad patrocinada a potenciales anunciantes. Éstos aparecen en el resultado de la búsqueda como *enlace patrocinado.*

Google Trends

Muestra las tendencias de búsqueda más actuales del buscador Google.

PageRank

Es una marca registrada por Google en 1999, que protege a un grupo de algoritmos usados para crear posiciones de relevancia de documentos o páginas Web, estableciendo un orden numérico e indexada motor de búsqueda.

Ejercicios de autoevaluación

1. ¿Cuál es el navegador más usado en el mundo?

    a. Internet Explorer.

    b. Google Chrome.

    c. Mozilla Firefox.

    d. Opera.

2. ¿Cuál es el navegador que sustituye a Internet Explorer?

    a. Microsoft Safari.

    b. Microsoft Edge.

    c. Microsoft Opera.

    d. Microsoft Yandex.

3. ¿Se puede vaciar el historial completamente?

    a. Si, a través de la opción borrar datos de navegación.

    b. Sí, pero necesitamos una cuenta de administrador de Google.

    c. No, solo el último año.

    d. Solamente aquellas páginas de los últimos seis meses.

4. ¿Por qué puede ser necesario borrar la caché de navegación?

    a. En realidad, es recomendable no hacerlo nunca.

    b. En el caso de que el programa así nos lo indique.

    c. En el caso de interferencia en el funcionamiento de una página Web.

    d. Siempre antes de actualizar el sistema operativo.

5. **Indique a qué compañía pertenece el motor de búsqueda denominado** *Bing.*

    a. Apple.

    b. Android.

    c. Bing corporation.

    d. Microsoft.

6. **¿Cómo se llaman los programas que amplían y personalizan las características de Google Chrome?**

    a. Ampliaciones Google.

    b. Navigator apps.

    c. Aplicaciones.

    d. Extensiones.

7. ¿Cuál es el buscador más usado en el mundo?

    a. Yahoo.

    b. Google.

    c. Bing.

    d. Baidu.

8. ¿Para qué se utilizan las RSS?

    a. Se utiliza para para difundir información a una serie de usuarios suscritos.

    b. Es un buscador de imágenes exclusivamente para dispositivos móviles.

    c. Se llaman así a las extensiones de Google Chrome.

    d. Es un servicio de correos, que se utiliza en los navegadores que usan el motor de búsqueda de Bing.

9. ¿Qué es Dropbox?

    a. Un programa de gestión de correo.

    b. Un programa o sitio Web para almacenamiento de datos en la nube.

    c. Un buscador o motor de búsqueda.

    d. Una fuente RSS.

10.   ¿Qué tipo de archivos podemos subir a Google Drive?

    a. Fotos y vídeos.

    b. Programas.

    c. Documentos.

    d. Todos los anteriores.

U. F. 3. Comunicación

Introducción

En esta unidad nos centraremos en la comunicación. Actualmente, entendemos la comunicación digital como la base fundamental que organiza nuestras vidas personales y laborales. Aspectos como el correo electrónico y su uso, así como videoconferencias, permiten no solo estar conectados, sino agilizar y mejorar nuestra calidad de vida. Pero el uso de lo digital plantea sus riegos. Sin darnos cuenta, hemos creado una identidad digital que transciende sobre nuestra identidad personal, fundiéndose de tal manera, que debemos atender que dicha imagen personal de Internet se ajuste exactamente a lo que queremos mostrar.

Objetivos

- Aprender a usar el correo electrónico.
- Saber configurar el correo electrónico en un cliente de correo electrónico.
- Saber instalar y configurar una aplicación de videoconferencia.
- Aprender lo que significa la identidad digital.

1. El correo electrónico

Vocabulario

Pop3: en inglés, Post Office Protocol version 3. Un protocolo de correo que se usa para la recepción de correo desde un servidor remoto a un cliente de correo local. Este servidor remoto se denominan Servidor POP.

Imap: proviene del inglés, Internet Message Access Protocol. Es un protocolo de correo usado para acceder al correo de un servidor web remoto desde un cliente local.

Smtp: Traducido, Simple Mail Transfer Protocol o Protocolo para Transferencia Simple de Correo) es un protocolo de comunicación que permite el envío de correos electrónicos en Internet.

El correo electrónico podríamos definirlo de la siguiente manera: **un servicio de red** que permite a los usuarios:

– Enviar.
– Recibir mensajes.

Los cuales tienen el nombre de **mensajes electrónicos o mensajes de correo**. Estos se envían de varias maneras, bien usando Webmail, que veremos posteriormente, o bien usando clientes o gestores de correo electrónico.

Para poder enviar un correo electrónico, necesitamos primero tener un correo electrónico, este puede ser de dos tipos:

• Un **correo creado a partir de un Webmail gratuito** o de pago, del primero podríamos hablar de *Gmail* que pertenece a *Google*.
• Un **correo corporativo,** es decir, un correo de una web que puede ser una página personal o de empresa, por ejemplo, si trabajamos en una empresa, suelen darnos un correo corporativo de esa empresa.

Por otro lado, **las direcciones de correo**, se componen de dos partes separados por un símbolo, denominado arroba (@). Por ejemplo, si tenemos un correo con Gmail podría ser: *ejemplo@gmail.com*

 **Saber más**

¿Qué fue primero Internet o el correo electrónico? Esta pregunta, tiene una respuesta sorprendente. Primero fue el correo electrónico. En el **Instituto Tecnológico de Massachusetts** en 1962, tomaron la decisión de comprar un ordenador, antes se denominaban computadora, que era un modelo IBM 7090, del fabricante IBM, entonces una proeza tecnológica. El cual permitía como novedad, sesiones abiertas desde computadoras remotas a varios usuarios. Este sistema se utilizaba para intercambiar mensajes. Fue entonces que tres años más tarde, probablemente debido al éxito de la mensajería, se desarrolló un servicio que permitía el envío de mensajes entre diferentes usuarios, y se le dio el nombre de Mail. En 1971 se produjo un hecho que marcaría la historia del correo electrónico. El primer mensaje de correo electrónico enviado a través de una red.

EMISOR   SERVIDOR DE CORREO   RECEPTOR

Funcionamiento del correo electrónico

Vamos a ver algunas **características de los correos electrónicos**:

- Son **inmediatos.**
- Pueden llevar **ficheros adjuntos.**
- Los mensajes dependiendo de la capacidad de nuestro correo, pueden **mantenerse tanto tiempo** como queramos, salvo que hayamos configurado lo contrario.

- **Podemos usar clientes de correos**, sobre todo si tenemos varias cuentas de correo.
- Podemos usar **certificados digitales o firmas digitales**, más adelante explicaremos lo que es.
- Podemos **contestar, responder o reenviar mensajes,** así como eliminarlos, modificarlos, etc...
- En general **tenemos opciones para configurar** la recepción de spam o publicidad.
- Podemos **crear carpetas y filtros para organizar** tanto el envío como la recepción de mensajes.
- Necesitamos un **nombre de usuario y contraseña**. Nos pedirá un correo electrónico de recuperación o un número de teléfono, para tener mayor seguridad o en caso de pérdida de la clave.

1.1. Webmails

Es una aplicación o software informático que nos permite ver, listar, modificar, enviar y en general gestionar **mensajes de correo electrónico a través de un navegador web,** como puede ser Google, y todas aquellas acciones que hemos visto en las características mencionadas anteriormente. Existen muchas maneras de tener correos y usar por tanto la opción de Webmails, tanto de pago como gratuitos.

Sugerencia

Es conveniente tener varios correos electrónicos, al menos dos, uno para temas personales y otro para temas profesionales, por ejemplo, si vamos a usar un correo para este último es preferible crearlo con nuestros nombres si es posible, abreviando en el caso de que dicho correo exista. Nunca utilizar nombres graciosos, apodos, o cualquier otro que no demuestre seriedad.

Entre los correos más usuales tenemos, por ejemplo:

- **Gmail.**
- **Outlook.com.**
- **Yahoo, etc.**

Nos vamos a centrar preferentemente en **Gmail**, por ser el correo que más se usa en el mundo.

Gmail

Logo de Gmail

Gmail pertenece a Google, y el correo va unido tanto al servicio de almacenamiento en la nube, justo al crear dicho correo tenemos acceso también a *Google fotos*, que ya vimos en la unidad anterior para qué servían. También es compatible con el sistema operativo Android. Esto nos permite la ventaja de tener integrado correo electrónico, almacenamiento, copias de seguridad y que nuestros dispositivos estén interconectados. Comencemos por crear una cuenta de correo en Gmail.

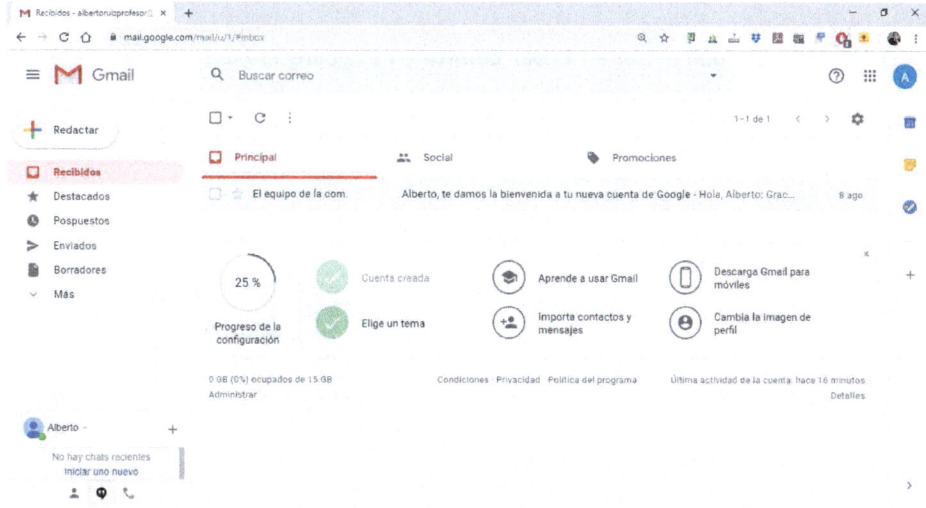

Ventana del correo de Gmail

---

1. Crear un correo nuevo

- **Entramos en Gmail** a través de Google, o escribiendo *Gmail* en la barra de direcciones del navegador. Pulsamos en *crear nuevo correo* y nos aparecerá la ventana que podemos ver en la parte inferior:

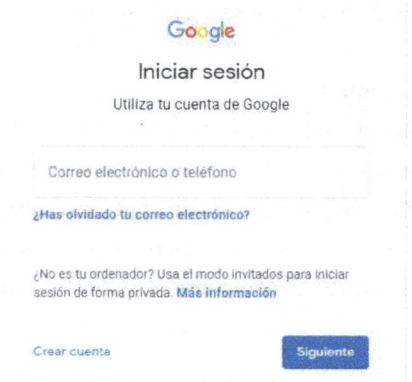

Ventana de creación de cuenta de correo Gmail

- Tendremos que pulsar en **Crear cuenta** y nos aparecerá la siguiente ventana:

Creación de una cuenta en Google, datos de la cuenta

Anotación

Cuando vamos a crear el correo, nos preguntará si queremos un correo personal o de empresa. Depende de que lo queramos, elegiremos una u otra.

En esta ventana, tendremos que rellenar los datos:

- **Nombre y apellidos.**
- **Nombre de usuario:** en el caso de que exista, nos dará a elegir entre varios nombres sugeridos o volveremos a intentarlo con otro nombre.
- **Contraseña:** hay que procurar que sea una contraseña que tenga números, letras y si se quiere mayor seguridad, mayúsculas y minúsculas, y algunos caracteres especiales, como por ejemplo guiones.

- En la siguiente ventana nos pide unos datos por seguridad y datos personales.

  - Teléfono.
  - Fecha nacimiento.
  - Sexo.

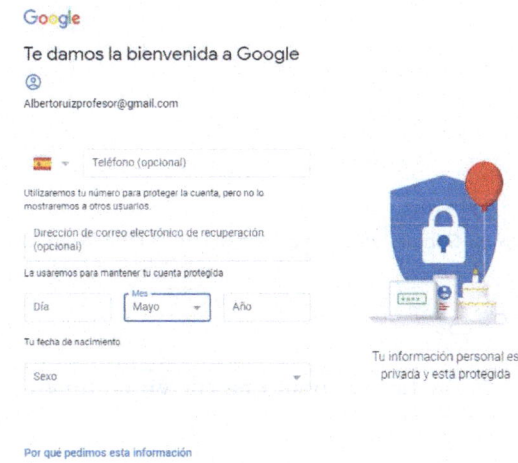

Creación de una cuenta en Google, algunos datos personales y de seguridad

- Una vez rellenado el paso anterior, la siguiente ventana me pedirá que acepte el acuerdo, lo pulsamos. Una vez realizado nos iremos a Gmail, y ya tendremos creado nuestro correo electrónico. Lo podemos observar en la imagen inferior.

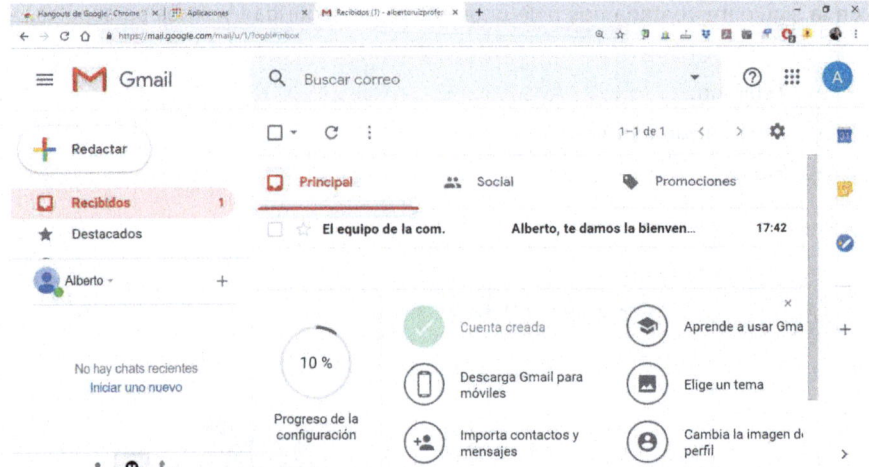

Creación de una cuenta en Google, ventana de Gmail con la cuenta de correo electrónico creada

2. Gestionar cuenta de correo en Gmail

Una vez abierto el correo, tenemos una serie de elementos que vamos analizar:

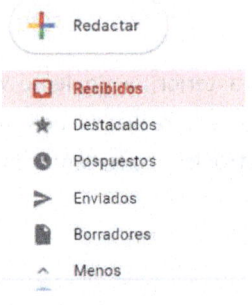

Menú de Gmail

- **Importantes:** mensajes que hemos señalado como importantes.
- **Programados:** la última versión de Gmail permite programar envíos de mensajes de correos.

- **Spam**: son mensajes publicitarios. El remitente puede ser desconocido o conocido, en ocasiones hay mensajes deseados que se filtran como no deseados, debido a que no tenemos al usuario emisor en nuestra lista de contactos. También se le conoce como *correo basura*.
- **Papelera:** los mensajes que se han eliminado, se pueden recuperar o eliminar definitivamente.
- **Administrar etiquetas**: podemos crear etiquetas a modo de carpetas donde almacenar nuestros mensajes, al igual que un explorador de archivos.

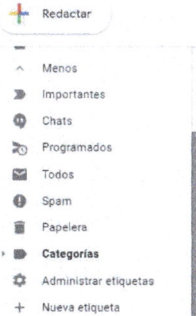

Continuación del Menú de Gmail

Otras acciones que podemos realizar con los mensajes son:

- Archivar.
- Borrar.
- Marcar como no leído.
- Posponer.

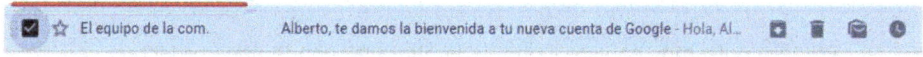

Mensaje con las opciones mencionadas en la parte de arriba

3. Abrir un correo

Si pulsamos con el clic sobre un mensaje. Abriremos dicho mensaje como vemos en la parte inferior. Si lo abrimos vemos su contenido y si vienen ficheros adjuntos, también podremos descargarlos. Una vez abierto, podemos realizar varias acciones, por ejemplo responder o reenviar el mensaje a otra u otras personas.

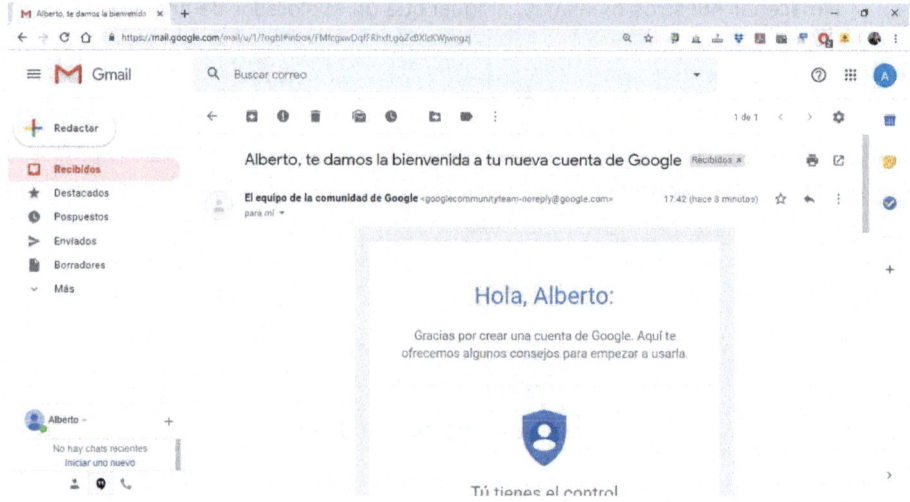

Ventana que muestra un mensaje de correo abierto en Gmail

4. Nuevo mensaje

Imaginemos que queremos enviar un correo electrónico:

1. Primero pulsamos en este icono de la pantalla, donde pone redactar:

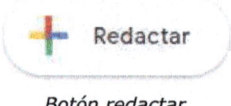

Botón redactar

2. Una vez abierta la ventana para escribir el mensaje, tenemos varios elementos:

- o **Dirección de correo electrónico** de la persona a quien queremos enviar el mensaje.
- o **Asunto**, donde indicamos cuál es el asunto del mensaje.
- o **Texto,** debajo de asunto donde escribimos el mensaje.
- o **Opciones**, en la parte inferior, tenemos una serie de iconos con los que podemos:

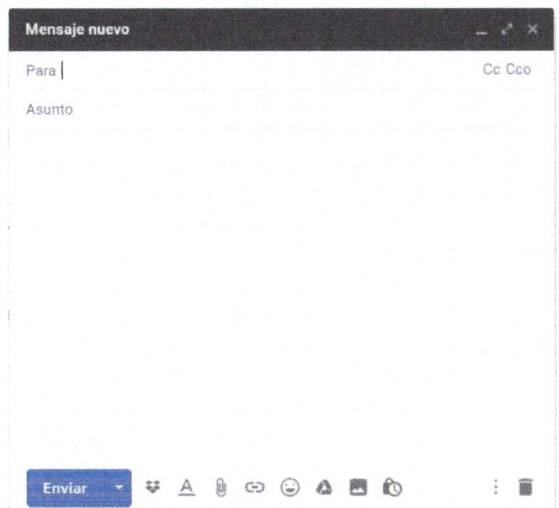

Ventana de nuevo mensaje

- Enviar archivos de Dropbox.
- Modificar estilos de texto.
- Adjuntar archivos de nuestro ordenador, o un dispositivo externo.
- Insertar Emoji, a modo de emoticones.
- Insertar imágenes.
- Enviar archivos de Google Drive.
- Activar o desactivar modo confidencial.
- Programar el envío.

Ejemplo

Digamos que queremos enviar una fotografía, al pulsar en *fichero adjunto* nos saldrá una ventana y podremos enviar el correo con el mensaje. Pulsaríamos en *adjuntar archivo* y nos saldría la imagen que vemos en la parte inferior. Después elegiríamos la imagen o imágenes y se adjuntaría al mensaje. Una vez realizado este paso, podríamos enviar el archivo, en general el tamaño máximo es de 25 MB.

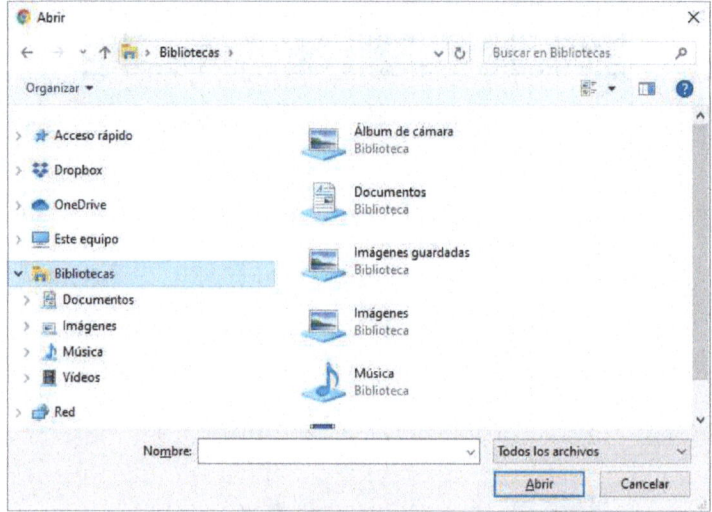

Una vez pulsado adjuntar archivo, nos sale esta ventana, para elegir el archivo o archivos que queremos enviar

En el caso de que cometamos un error al escribir la dirección de correo electrónico de la persona a la que le vamos a enviar el mensaje. Nos aparecerá un mensaje en recibidos con este mensaje "**Mail Delivery**", como podemos observar en la imagen inferior.

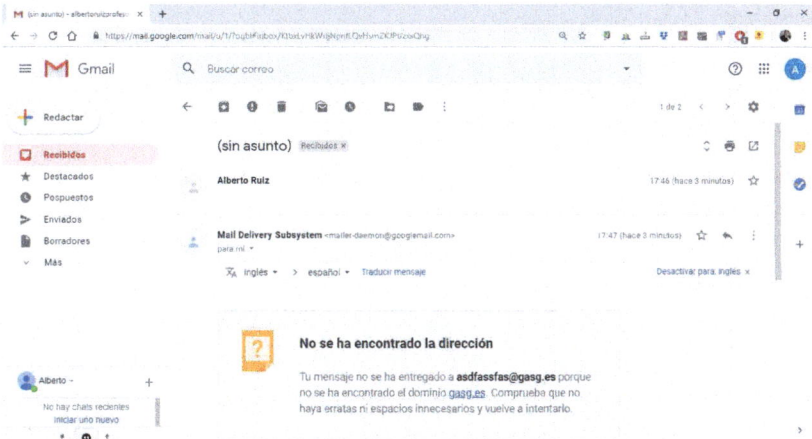

Ventana que muestra el aviso de que hemos enviado con la dirección de correo electrónico errónea

---

5. Responder/reenviar

Como hemos visto antes, podemos responder a un mensaje, o reenviarlo a otra dirección, con el botón que vemos en la imagen inferior, podríamos responder un mensaje.

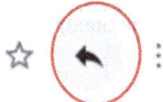

Botón para responder un mensaje

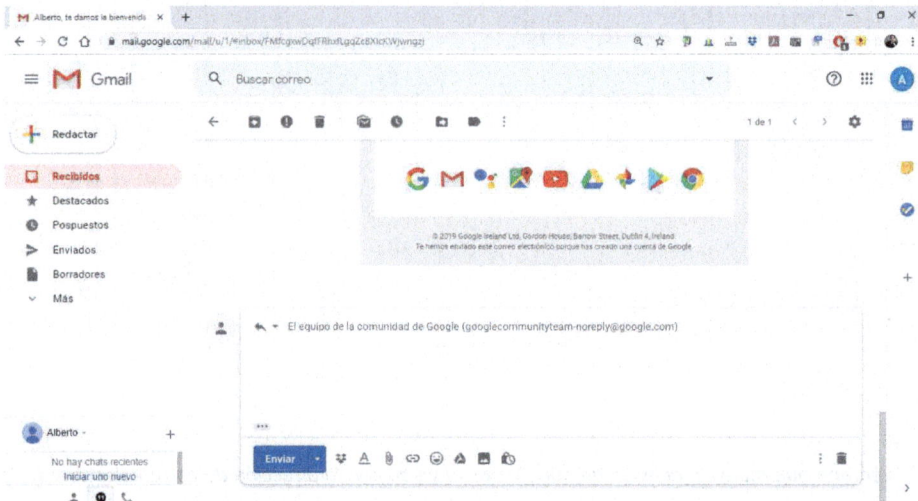

Ventana donde aparece la opción de responder a un mensaje

---

6. Eliminar mensajes

Los mensajes eliminados se van a papelera, desde ahí puedo o bien eliminarlos definitivamente o bien recuperarlos. Si observamos la imagen, tenemos un mensaje eliminado en la papelera.

Una vez seleccionado podemos utilizar la opción de eliminar definitivamente, marcarlo como Spam o moverlo.

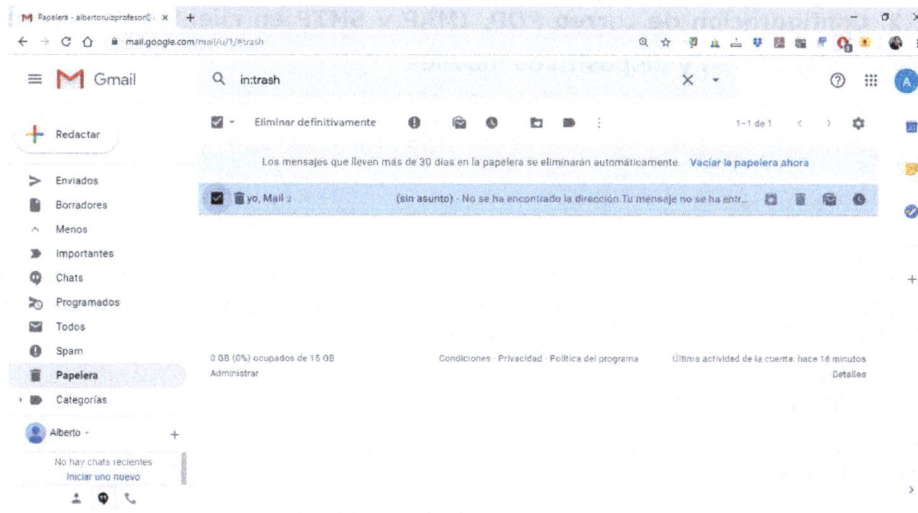

Ventana de la papelera de reciclaje

Los mensajes que lleven más de 30 días en la papelera Gmail los elimina automáticamente.

7. Buscar correos

Cuando tenemos muchos correos, una opción interesante que se encuentra en la parte superior es un buscador que permite buscar un correo con un determinado filtro o condición.

Opción de buscar en Gmail

1.2. Configuración de correo POP, IMAP y SMTP en clientes de correo para ordenadores y dispositivos móviles

Vocabulario

Puerto: es una interfaz mediante la cual se pueden tanto enviar como recibir distintos tipos de datos. Esta interfaz tiene dos tipos:

- Tipo física.
- Tipo lógica o de software.

Cliente de correos: es un programa informático que sirve para leer y enviar mensajes de correo electrónico.

Existen una serie de protocolos de correos, que son los que más se usan:

- POP3.
- IMAP.
- SMTP.

Cada uno de ellos tiene su función y usa unos puertos, que hemos definido en el vocabulario, necesarios para su poder trabajar dichos protocolos.

A. POP3

Nos permite descargar los mensajes de correo en nuestros dispositivos y podremos leerlos posteriormente, sin necesidad de estar conectados. Los mensajes por tanto se descargan a la cuenta de correo desde el servidor, como hemos visto en una imagen al principio de esta unidad.

Sugerencia

Es recomendable salvo que tengamos problemas de espacio en nuestro servidor de correos, que los mensajes no se eliminen automáticamente cuando los descarguemos en nuestros dispositivos, así mantenemos en el servidor de correos una copia de seguridad de nuestros mensajes en nuestros dispositivos.

El protocolo POP3 utiliza por defecto dos puertos:

- **110:** este es el predeterminado no cifrado, denominado POP3.
- **995:** este es el puerto que debemos utilizar si queremos conectarnos usando POP3 de forma segura o cifrada.

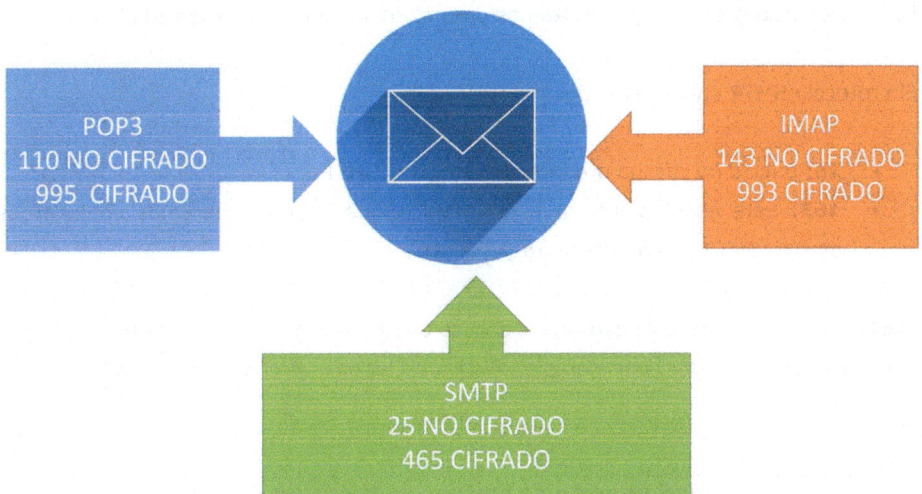

Tipos de protocolos y puertos

B. IMAP

IMAP es un protocolo que nos permite acceder desde varios clientes de correo. De esta manera se suele recomendar IMAP si queremos acceder desde distintas localizaciones o bien porque la cuenta de correo la van a utilizar diferentes usuarios.

El protocolo IMAP utiliza los siguientes puertos:

- **143:** es el puerto no cifrado predeterminado para IMAP.
- **993:** este es el puerto que tendríamos que utilizar, si queremos conectarnos usando IMAP de forma segura (cifrada).

C. SMTP

Es un protocolo estándar que utilizamos para el envío de correo de Internet.

El protocolo SMTP utiliza estos dos puertos:

- **25:** puerto no cifrado predeterminado para SMTP.
- **465:** este es el puerto que tendríamos que usar si queremos conectarnos usando SMTP de forma segura (cifrada).

Existen muchos clientes de correo, en el caso de un ordenador, hay dos que son los más conocidos y usados, por ejemplo, *Microsoft Outlook, Mozilla thunderbird, etc.*

1. Configuración de correos en Microsoft Outlook

Vamos a ver en este apartado como conectar una cuenta de correos electrónico a un cliente de correos, en este caso Microsoft Outlook.

Logo de Microsoft Outlook

1. Abrimos Microsoft Outlook, después nos vamos a *Archivo*.

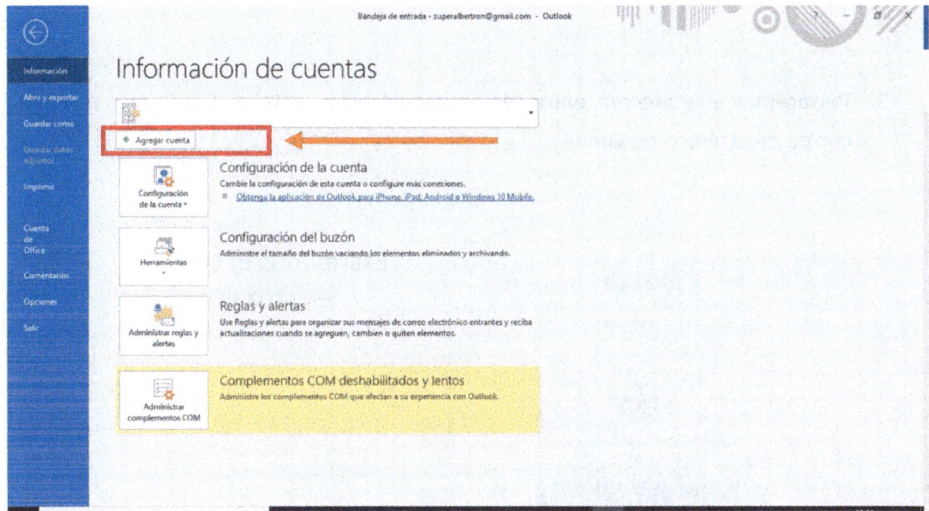

Ventana de Archivo de Microsoft Outlook, en la parte superior tenemos el botón agregar cuenta

2. Aparecerá la ventana que vemos en la parte inferior y escribiremos nuestra dirección de correo electrónico.

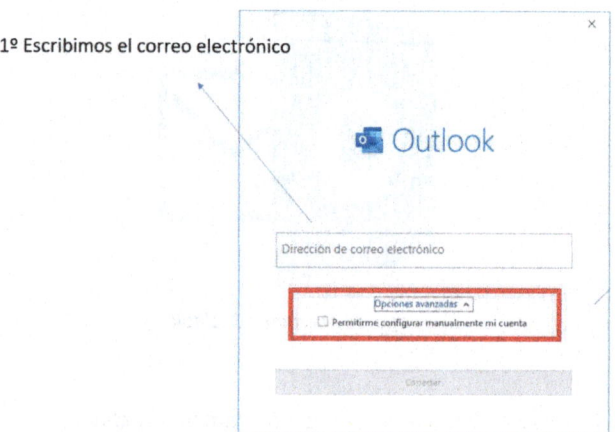

1º Escribimos el correo electrónico

Ventana donde nos pide la dirección de correo electrónico

3. Pulsaremos en *conectar*, entonces aparecerá esta ventana. Escribimos nuestro correo electrónico de Gmail.

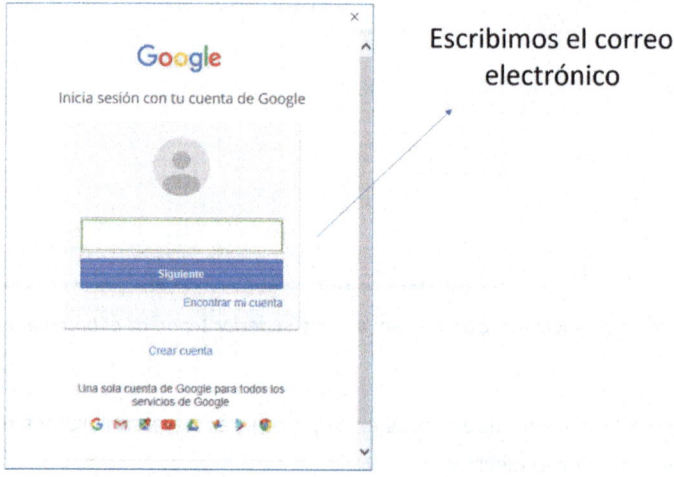

Escribimos el correo electrónico

Ventana de acceso a Gmail desde Microsoft Outlook

4. En la siguiente ventana, nos pedirá nuestra contraseña.

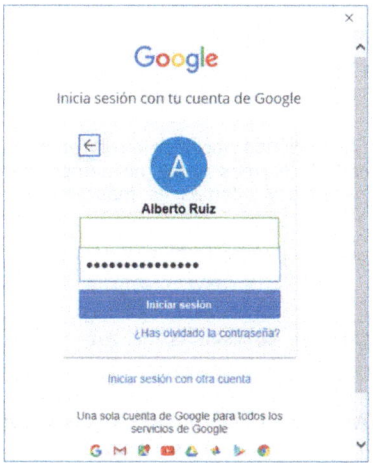

Ventana donde pide la contraseña

5. Una vez realizados los pasos anteriores, nos aparecerá la siguiente ventana indicándonos que podemos hacer uso de nuestra cuenta.

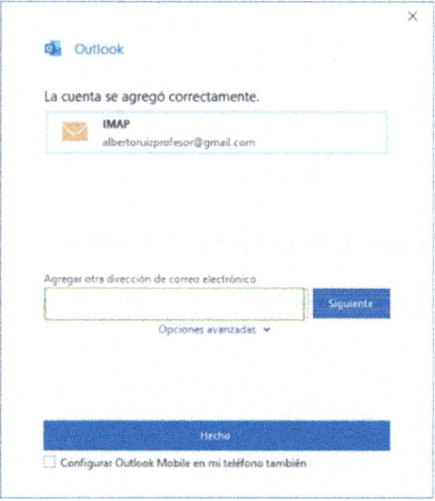

Ventana final en el proceso de añadir cuenta de correos electrónico en Microsoft Outlook

 **Importante**

Los clientes de correo tienen las mismas opciones que Webmails. Ambos coinciden en que se pueden gestionar varias cuentas de correos al mismo tiempo, pero en general los gestores de correos, suelen tener más opciones y además es más sencillo la gestión de varios correos simultáneos

---

2. Configuración de correos en el móvil, caso de Android

1. En nuestro dispositivo móvil pulsamos en ajustes, como se observa en la imagen inferior:

Opciones de ajustes en un dispositivo móvil

2. Nos vamos a la opción de cuentas como vemos en la imagen inferior:

Opciones dentro de cuentas

3. Al elegir la cuenta, en este caso una cuenta de Gmail, nos pide redireccionarnos a la página de Gmail.

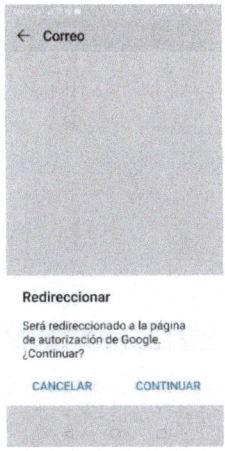

Ventana que nos redirecciona a la página de Gmail

4. Pulsamos en usar otra cuenta.

Ventana donde debemos pulsar en usar otra cuenta

5. Escribimos nuestro correo electrónico y después escribiremos nuestra contraseña.

Ventana donde nos pide la cuenta de correos electrónica.

Una vez realizado, ya tendremos agregada nuestra dirección de correos electrónico y podremos utilizarla con los clientes de correo electrónico, que tengamos instalado en nuestros dispositivos móviles.

2. Videoconferencias básicas. (Skype, Hangouts,...)

Programas de mensajería instantánea: se denomina a un tipo de aplicación de comunicación en tiempo real, entre dos o más usuarios basada en texto. Aunque la mayoría ya incluye llamadas y videoconferencias.

Una **Videoconferencia** se podría definir como la comunicación en tiempo real, en dos direcciones tanto de audio como vídeo, permitiendo que se mantengan no sólo reuniones de personas, sino también el intercambio de información.

Existen muchos programas de videoconferencias, tanto gratuitos como de pago. Están también muy relacionados con programas de mensajería instantánea como *WhatsApp* o *Facebook Messenger*. Vamos a ver algunos de ellos:

A. Skype

Skype es un software que distribuye Microsoft como propietario, pues hace unos años compró la empresa Skype. El programa tiene opciones de videoconferencia, también incluye mensajería instantánea, envío y recepción de ficheros, etc.

Logo de Skype

1. Crear una cuenta en Skype

1. Descargar la aplicación.

Ventana de arranque de Skype

2. Una vez instalado pulsamos en *iniciar sesión* o bien crearnos una cuenta, puede registrarse con un correo electrónico o número de teléfono.

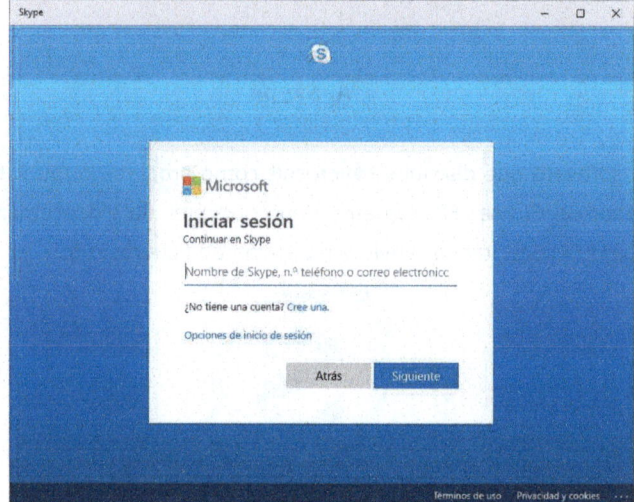

Ventana de inicio de sesión de Skype

3. Podemos utilizar una cuenta que ya tengamos dada de alta en Microsoft.

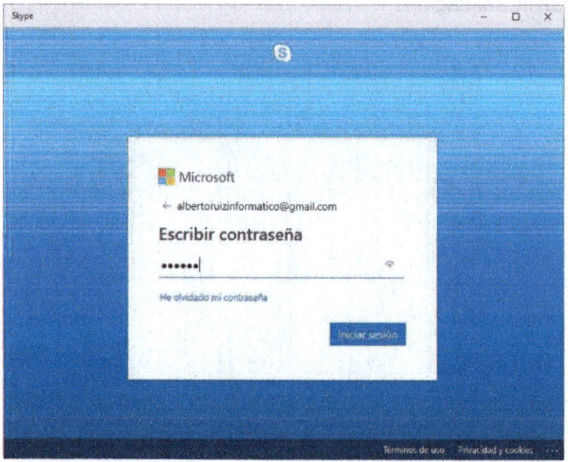

Ventana donde nos pide la contraseña

También puede ocurrir que deseemos crear una cuenta en Microsoft, o bien obtener una nueva dirección de correo electrónico.

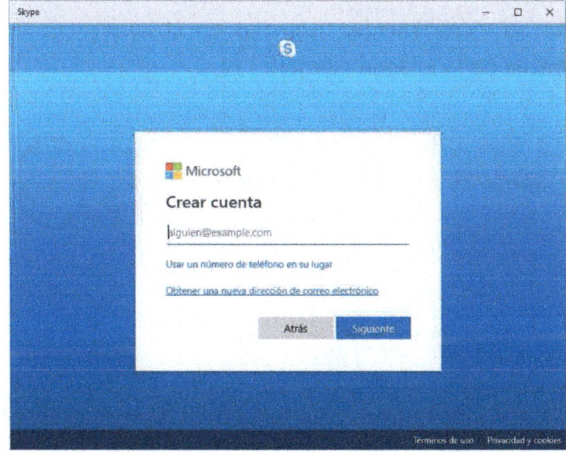

Ventana para crear una cuenta en Microsoft a través de Skype

2. Buscar personas

Si deseas agregar un contacto, ha de pedirle *conectar*. Cuando inicie sesión por primera vez en su cuenta, Skype le preguntará si desea importar sus contactos existentes en su cuenta. Podemos buscar por nombre, correo electrónico, e incluso por número de teléfono.

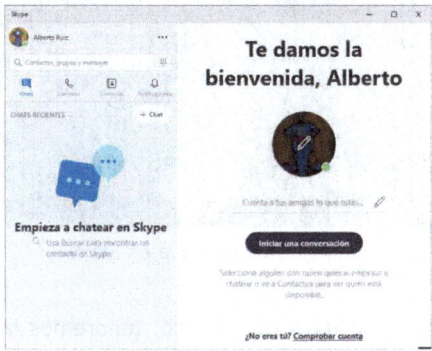

Ventana de inicio de Skype

3. Realizar una videollamada

Para realizar videollamadas, una vez que tenemos en contacto a la persona que queremos realizar la videollamada, pulsamos en el botón que se indica en la parte superior a la derecha de la imagen inferior:

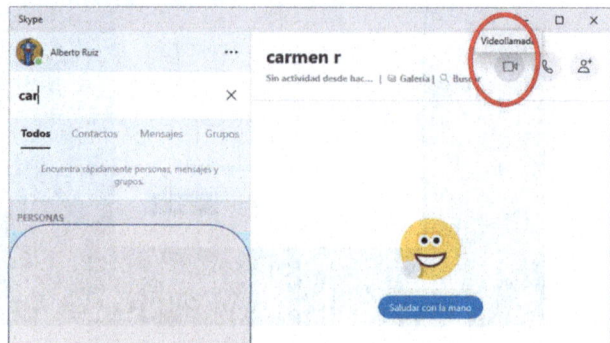

Mensajería instantánea de Skype

En ese momento, se efectuará la llamada como se observa en la imagen de abajo:

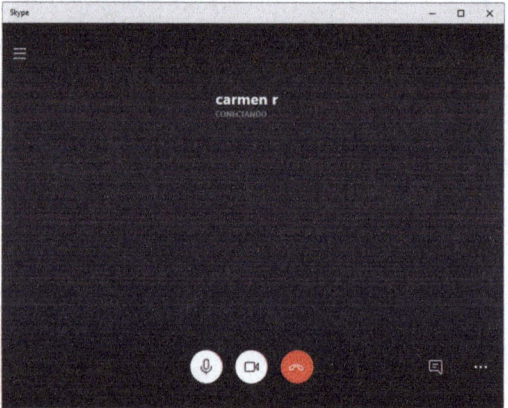

Videollamada en Skype

Una vez que el otro usuario haya descolgado, tendremos la pantalla dividida en dos partes; por un lado, la persona que nos está hablando que aparecerá ocupando toda la pantalla, y nuestra cámara nos mostrará a nosotros en una ventana más pequeña.

El funcionamiento en un móvil es muy parecido, en la parte inferior os ofrecemos un enlace para poder descargarlo en un dispositivo móvil, aunque también podemos realizar la búsqueda en Play Store en un dispositivo Android, o Apple Store, en un dispositivo Mac.

<table>
<tr><td align="center">B. Hangouts</td></tr>
</table>

Hangouts es una aplicación que sustituye a la antigua app *Google Talk*, de mensajería multiplataforma ampliada por Google.

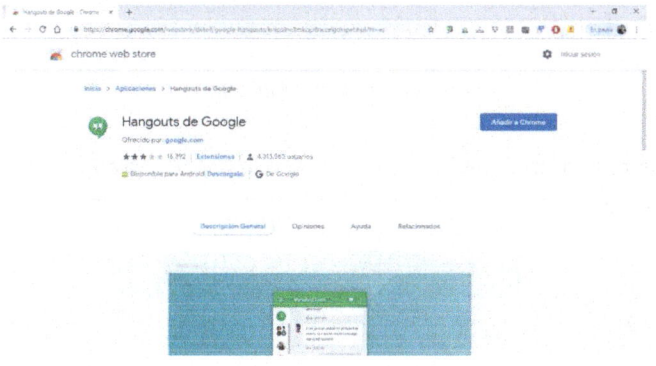

Extensión de Hangouts

En el caso de tener una cuenta de Gmail, ya tiene acceso a Hangouts, en caso contrario, habría que darse de alta. Al entrar nos encontramos esta ventana que nos muestra la imagen inferior:

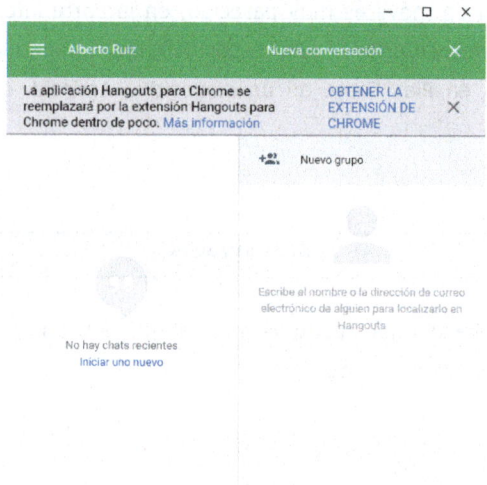

Ventana de Hangouts

Tenemos una opción para buscar personas. Puede hacerlo, bien por el nombre o bien por número de teléfono.

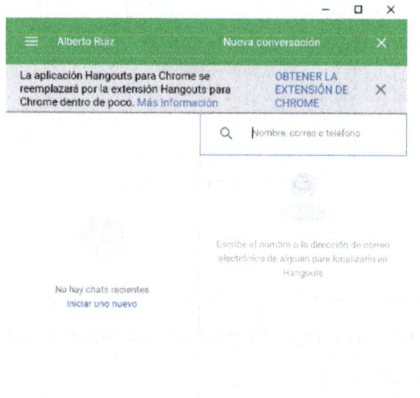

Ventana para buscar personas en Hangouts

En el caso de realizar una videollamada, se elige la persona de la lista y se realiza la llamada.

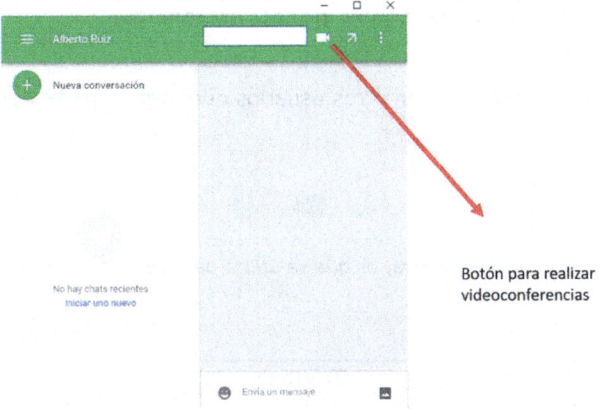

Opción para realizar videollamadas

 **Anotación**

Hangouts en el móvil: En general viene ya preinstalada en los sistemas operativos Android. El funcionamiento es prácticamente el mismo que hemos visto al principio de este apartado cuando hacíamos referencia al uso de Hangouts en un ordenador.

C. Otros programas

1. Videoconferencias con WhatsApp

WhatsApp es una aplicación de mensajería que nos permite aparte de llamadas y mensajería, realizar videollamadas de manera gratuita.

Opción de Videollamadas en WhatsApp (icono de la videocámara)

2. Facebook videoconferencias

Permite realizar videollamadas con otros usuarios que formen parte de la red social de Facebook.

El símbolo de la videocámara, es que se utiliza para acceder a videollamadas

3. Viber

Es una aplicación similar a WhatsApp que permite no sólo enviar mensajes, sino también utilizar llamadas y videollamadas. Su original popularidad surge por ser la primera app de mensajería instantánea que permitía llamadas gratuitas a otro Viber.

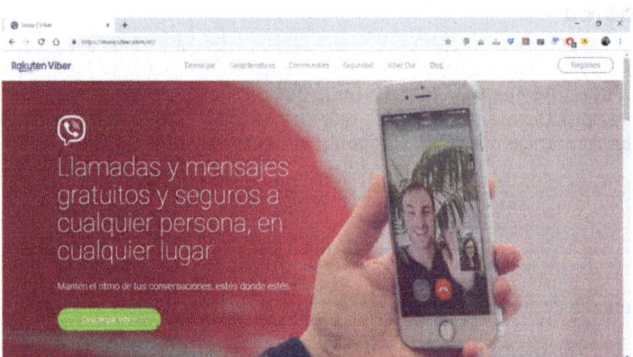

Ventana de la Web Viber

4. Telegram

Es otro programa de mensajería, que también provee no solo de mensajes instantáneos, sino también de videollamadas.

3. Identidad digital. Tu imagen personal en Internet

Reputación online: Se entiende como la opinión que otras personas tienen de una empresa, marca o persona. Ésta puede basarse en dos factores:

- La experiencia que los demás hayan tenido tanto positiva como negativa.
- Los valores que trasmite a nosotros y la sociedad en general.

Por tanto, la identidad digital, podríamos definirla como la identidad que sobre nosotros mismos, trasmitimos directa o indirectamente a través de medios digitales.

La identidad digital tiene una serie de características:

- Tiene un **carácter social**. Se crea usando redes sociales e interactuando con otros usuarios.
- La **percepción es más subjetiva que real**. Depende en gran medida en el uso de medios digitales no físicos, y, por tanto, más fácilmente maleables a la realidad.
- Tiene un **valor**. Debemos insistir en que las empresas cada vez más investigan sobre la identidad digital, de tal manera que se convierte en una especie de tarjeta de presentación, podríamos decir que lo que hagamos en las redes sociales por ejemplo no se queda en las redes sociales, sino que define lo que el mundo cree que somos.
- **Compleja**. La identidad no se construye sólo con nuestras aportaciones, sino que lo hace con las aportaciones que las demás personas crean al interactuar. Por ejemplo, si constantemente están poniendo fotos de una persona en un grupo de amigos, una empresa puede pensar que socialmente es una persona que sabe relacionarse con los demás, o bien que le gusta demasiado "ir de fiesta". Por tanto, los efectos pueden ser negativos o positivos, dependiendo de la información contextual que se presente.

- Tiene un **carácter dinámico**. Es decir, es cambiante y se modifica en el tiempo.

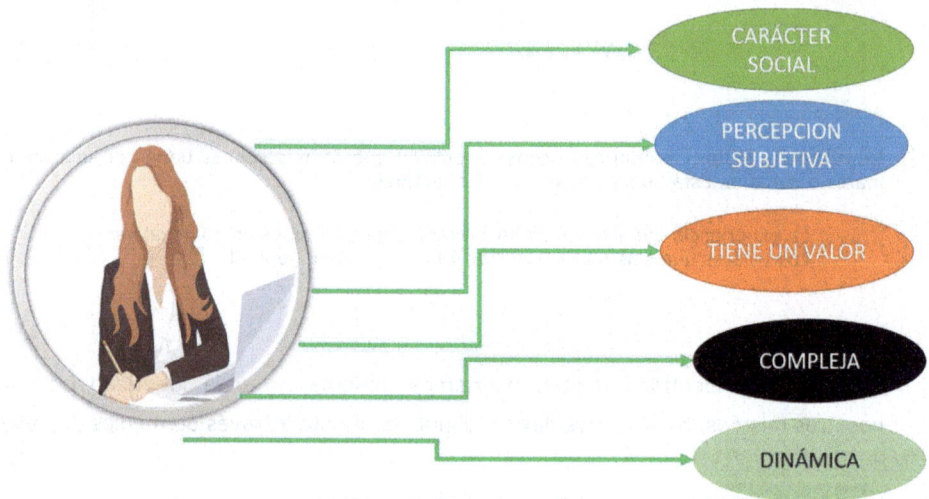

Características de la identidad digital

 **Importante**

Es importante redefinir en la identidad digital qué queremos mostrar de nosotros mismos, si tenemos en cuenta lo que hemos dicho anteriormente, de la importancia del elemento profesional. Un perfil que nos identifique positivamente va a redundar por ejemplo en mayores oportunidades de trabajo.

A. Elementos que conforman la identidad digital

Se conforma con elementos de diferentes procedencias, que bien pueden ser enlazados de manera directa, o bien indirectamente, es decir, por un lado, fotografías que el usuario sube a las redes sociales, o fotos en las que aparece el usuario, pero son otros los que las suben a Internet.

- **Perfiles personales**. Redes sociales generales, Facebook, Instagram, Twitter, Pinterest, etc.
- **Perfiles Profesionales** como ocurre en la red social LinkedIn, así como las altas en portales de búsqueda de empleo.
- **Comentarios.** Publicados en blogs, foros, redes sociales etc.
- **Contenidos digitales**. Fotos en redes sociales, vídeos en Vimeo, presentaciones en Slideshare, publicaciones realizadas en blogs u otros medios digitales.
- **Contactos**. Estar conectado con otras personas. Apareceremos en su lista o de amigos, seguidores. También son contactos las personas o empresas que nos siguen, o personas o empresas que seguimos, suscripciones, etc.
- **Las direcciones de correo electrónico**. Cada dirección con su propio *id de usuario* único.
- **La mensajería instantánea** como por ejemplo WhatsApp.
- **Alta en tiendas online,** compras online, y demás webs de comercio electrónico.
- **Las búsquedas en internet,** a través de algoritmos, hace que tengamos una identidad como comprador o buscador de información determinada, de tal forma que los anuncios o publicidad se modificarán según esas búsquedas.

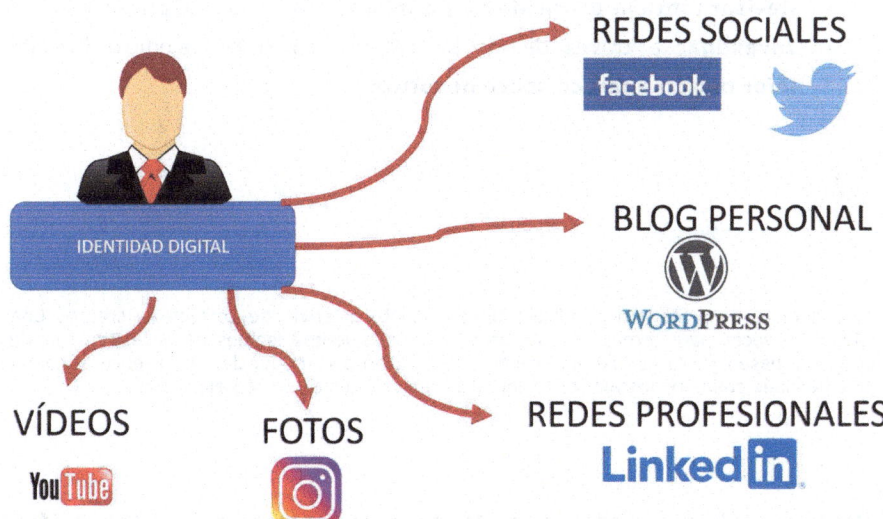

Elementos que conforman la identidad digital

B. Protección de nuestra identidad digital

No debemos únicamente protegernos con la información que queremos tener. En la actualidad, también existe el problema del robo de identidades digitales. Es uno de los ciberdelitos más frecuentes. Personas que han robado la identidad digital de otros y pretenden cometer un ciberdelito contra nosotros.

Este robo puede desembocar en que se hagan pasar por nosotros para realizar compras o sacar dinero de nuestra cuenta bancaria.

A continuación, veremos una serie de consejos a seguir para proteger nuestra identidad digital:

- **No utilice redes WIFI desprotegidas** o públicas, ya que no están cifrados los datos, y cualquier ciberdelincuente puede robarte tu identidad digital
- **No usar páginas que no estén protegidas**, existe un protocolo denominado SSL. Qué No utilice páginas web protegidas con certificado digital
- **Utilizar contraseñas seguras** y modificarlas con cierta frecuencia.
- **Actualizar el software** tanto de dispositivos móviles, PC, o cualquier otro dispositivo informático.
- **Revisar tanto la privacidad y permisos**, y la política de privacidad.
- **Investigar** a través de los buscadores, como por ejemplo Google, **que información aparece sobre nosotros.**

Sugerencia

Una manera de protegernos sobre todo en cuanto al envío de correos es crearos una firma digital. A veces para temas de contratación o documentos legales es necesario tenerlas. Los pasos se basan en darnos de alta y recoger el código para poder descargar el certificado digital, que después podemos instalar en Webmails o en clientes de correo electrónico.

Desde hace algunos años, han **salido leyes de protección de datos, e identidad digital** y leyes sobre lo que se llama **derecho al olvido**, que no es otra cosa que la posibilidad de que la información sobre nosotros desaparezca para siempre de Internet.

 **Saber más**

El derecho al olvido. Google, tras una sentencia del Tribunal de Justica de la UE en 2014, se vio obligado a borrar de sus búsquedas los resultados que contengan datos personales de un usuario. Este derecho lo podemos ejercer:
>   -Dirigiéndonos a los sitios web para que borren permanentemente esos datos
>   -Yendo a los formularios de los buscadores y pedir que nuestros datos sean eliminados
>   -A través de métodos legales

Resumen

Hemos visto en esta unidad lo que es el correo electrónico, siendo **un servicio de red** que permite a los usuarios enviar y recibir mensajes, los cuales tienen el nombre de **mensajes electrónicos**. Estos se envían de varias maneras, bien usando Webmail, que veremos posteriormente, o bien usando clientes o gestores de correo electrónico.

Webmail es una aplicación informática que permite que podamos ver, listar, y en general **manipular los mensajes de correo electrónico a través de un navegador web** y todas aquellas acciones que hemos visto en las características mencionadas anteriormente. Existen muchas maneras de tener correos y usar por tanto la opción de Webmails, tanto de pago como gratuitos.

Existen varios servicios, entre ellos quizás uno de los más extendidos es Gmail. Gmail forma parte de Google, y el correo va unido tanto al servicio de almacenamiento en la nube, como a otros servicios como Google fotos, que ya vimos en la unidad anterior para que servían.

Otro aspecto importante son los protocolos de correos. **POP3,** que nos permite descargar los mensajes de correo en nuestros dispositivos y podremos leerlos posteriormente, sin necesidad de estar conectados. Por otro lado, **IMAP,** es un protocolo que nos permite acceder desde varios clientes de correo. De esta manera se suele recomendar IMAP si queremos acceder o bien desde distintas localizaciones o bien porque la cuenta de correo la van a utilizar diferentes usuarios. Finalmente encontramos **SMTP,** siendo funcionalmente más primario, es un protocolo estándar que utilizamos para el envío de correo de Internet.

Una **Videoconferencia** se podría definir como la comunicación en tiempo real, en dos direcciones tanto de audio como también de vídeo, esto permite que se puedan mantener no sólo reuniones de personas que se encuentren en distintos lugares, esto permite también el intercambio de información.

Existen muchos programas de videoconferencias tanto gratuitos como de pago, como por ejemplo Skype, Hangouts... Otros están también muy relacionados con los programas de mensajería instantánea como WhatsApp o Facebook Messenger.

El último apartado lo hemos dedicado a **la identidad digital**, podríamos definirla como la identidad que, sobre nosotros mismos, transmitimos directa o indirectamente a través de medios digitales. Se conforma con elementos de **diferentes procedencias**, que bien pueden ser realizados de manera directa, o bien indirectamente, es decir, por un lado, fotografías que el usuario sube a las redes sociales, o fotos en las que aparece el usuario, pero son otros los que la suben a Internet. Es decir, trata de nuestra información personal y privacidad en la web.

Glosario

Certificado digital

Es un documento firmado digitalmente, generalmente por una entidad cualificada para emitir estos certificados digitales.

Facebook

Nace en 2004 por un equipo liderado por Mark Zuckerberg. Se dedican a ofrecer servicios informáticos relacionados con redes sociales, mensajería instantánea y otros servicios para usuarios particulares y empresas.

Firma digital

Se define como un sistema que permite identificar al emisor de un mensaje, cuando es recibido por un receptor. Está basado en la criptografía.

Spam

Son mensajes:

- – No solicitados.
- – No deseados.

El remitente puede ser desconocido o conocido, en ocasiones hay mensajes deseados que se filtran como no deseados, debido a que no tenemos al usuario emisor en nuestra lista de contactos. También se le conoce como correo basura.

Viber

Creada por su fundador Talmon Marco, es una aplicación de comunicación que puede ser usada en varias plataformas, muy similar a otros programas de mensajería instantánea. Destacó inicialmente por ser la primera en permitir realizar llamadas gratuitas.

Ejercicios de autoevaluación

1. ¿Cómo definiríamos a un Webmail?

    a. Es una aplicación informática que permite que podamos gestionar nuestros mensajes de correo electrónico a través de un navegador web.

    b. Hace referencia a un servicio que permite gestionar nuestro correo electrónico, tanto en clientes de correo como en navegadores web.

    c. Es un cliente de correo.

    d. Se llama así a los servidores de correos.

2. Indique cuál de estos no es un correo Webmail:

    a. Telegram.

    b. Yahoo.

    c. Outlook.

    d. Gmail.

3. ¿Qué son las etiquetas en el Webmail de Gmail?

    a. Sirven para mover los mensajes entrantes a la carpeta Spam.

    b. Las etiquetas son lo más parecido a crear carpetas con el explorador de archivos.

    c. Sirven para indicar la prioridad de estos mensajes a través de código.

    d. Es una opción que activa automáticamente Gmail, cuando el mensaje es destacado.

4. Indique qué opción no es correcta al enviar un mensaje:

    a. Podemos insertar un archivo adjunto de nuestro equipo.

    b. Nos permite enviar archivos procedentes de Dropbox.

    c. Permite enviar archivos de OneDrive.

    d. Podemos insertar *Emojis*, a modo de emoticones.

5. ¿A través de qué opción, podemos agregar una cuenta de correo en Microsoft Outlook?

    a. Pulsando en archivo, configuración general de cuentas.

    b. Dentro de opciones, configuración general, añadir cuentas de correo.

    c. Dentro de la opción de configuración, añadir cuentas externas.

    d. Pulsando en archivo y después en agregar cuenta.

6. Si enviamos un mensaje de correo y nos hemos equivocado a la hora de escribir el destinatario de correo, ¿Qué puede ocurrir?

    a. Si la dirección no existe, Gmail nos enviará un mensaje de correos con el asunto "Mail delivery"

    b. Si la dirección no existe, Gmail envía un mensaje de correos con el asunto "error message address mail".

    c. En el caso de que no exista la dirección, Gmail no envía ningún mensaje de respuesta.

    d. En el caso de que no exista la dirección, Gmail, envía un mensaje de correos con el asunto "Error 7780".

7. ¿Para qué sirve *Hangouts*?

a. Es un programa que se utiliza para realizar videoconferencias.

b. Es un cliente de correo de Apple.

c. Es un programa de mensajería instantánea, pero que no tiene opción de videoconferencia.

d. Es un protocolo que se usa cuando se realizan videoconferencias a través de dispositivos móviles.

8. Indique por qué la identidad digital tiene un gran valor en la actualidad.

a. Se refiere a la posibilidad de ganar dinero, utilizando nuestros recursos en Internet.

b. Porque es un servicio que cuesta dinero.

c. Las empresas cada vez más investigan sobre la identidad digital, de tal manera que se convierta en una especie de tarjeta de presentación.

d. Porque es algo dinámico.

9. ¿Qué elementos conforman la identidad digital? Indica cuál es falso.

a. Perfiles profesionales como la red social LinkedIn.

b. Vídeos en YouTube.

c. Usar programas ofimáticos de escritorio.

d. Comentarios en Foros o blogs.

10.   ¿Cómo podemos proteger nuestra identidad digital?

a. Exclusivamente cuidando la información que compartirnos.

b. Entrando en Internet a través de redes Wifi públicas.

c. Usar páginas Web sin importar su seguridad.

d. Cuidando la información que compartimos, usando páginas y redes Wifi seguras, actualizado el software, repasando permisos y privacidad.

U. F. 4. Creación del contenido

Introducción

En esta unidad nos vamos a centrar en la creación de contenido. Éste se compone de una serie de elementos que debemos tener en cuenta; en primer lugar, conocer qué herramientas ofimáticas podemos utilizar. En principio podríamos destacar tres: *Microsoft Office*, *documentos de Google*, y existe una tercera, llamada *Libre Office,* que al igual que *documentos de Google*, es de carácter gratuito. Estos programas de ofimática también se pueden usar en dispositivos móviles. Otro elemento a destacar son los permisos a la hora de utilizar la información de Internet, como ocurre con las obras escritas, existen derechos de autor con diversas categorías que podremos diferenciar, así como aprender cuándo una información es de libre uso. Y por último y no menos importante, aprenderemos los diferentes formatos de archivos con los que podemos trabajar según su extensión.

Objetivos

- Distinguir y aprender el uso básico de algunas herramientas ofimáticas.
- Aprender los distintos tipos de permisos a la hora de utilizar la información.
- El conocimiento de los diferentes formatos de archivos.
- Preparar una publicación para Internet utilizando las herramientas ofimáticas básicas y atendiendo a los principios de propiedad intelectual.

1. Herramientas ofimáticas básicas (procesador de texto y presentaciones)

Vocabulario

Un paquete ofimático es un conjunto de aplicaciones que realizan funciones aplicadas generalmente a trabajos de oficina, tales como crear, modificar documentos, imprimir y enviarlos por correo electrónico.

Conocer las herramientas ofimáticas básicas es esencial para poder crear contenidos, existen varios paquetes ofimáticos, algunos gratuitos y otros de pago, de entre ellos vamos a citar a los más conocidos.

- **Microsoft office**

Logo de Microsoft Office

Esta suite informática nace en el año 1989 y ha tenido diferentes versiones, *Office 97*, *Office xp*, *Office 2003*, *2007*, *2010*, *2016*, *2018* con sus diferentes variantes, se compone de varios programas como *Hojas de cálculo Excel*, *Microsoft Outlook*, *Word*, *Power Point*, entre otros.

- **Suite informática de Google**

Logos de documentos de Google

Son una **serie de programas online**. Microsoft también tiene versiones únicamente online, de carácter gratuito y multiplataforma. Al igual que otros programas de Microsoft, esta suite tiene la ventaja de estar interconectado con el almacenamiento en la nube de Google, Google Drive, teniendo la mayoría de funciones de cualquier paquete ofimático, tanto un procesador de textos, una hoja de cálculo, como una aplicación para realizar presentaciones.

- **Libre Office**

Logo LibreOffice

Es un **paquete ofimático:**

- – Gratuito.
- – Código abierto.

Desarrollado por **The Document Foundation**, en el año 2010. provenían del proyecto de **OPEN OFFICE,** otro paquete ofimático, de similares características igualmente se compone de un procesador de texto que se llama **Writer**, una hoja de cálculo, denominada **Calc,** una aplicación para realizar presentaciones llamada **Impress,** además de otras aplicaciones.

1.1. Procesadores de textos: Microsoft Word

Es un procesador de textos que nos permite crear textos con formatos de párrafos, fuentes, insertar elementos, como imágenes, insertar tablas, etc.

Logo de Microsoft Word

A. Entorno de Word

Si observamos la imagen inferior, veremos el entorno de trabajo y los elementos principales que la componen:

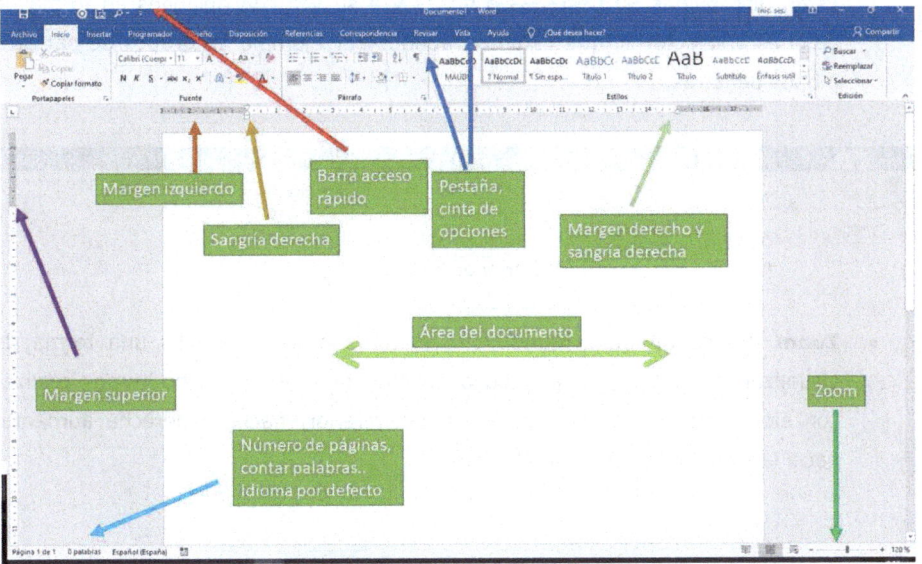

Entorno de trabajo en Microsoft Word

Vamos a ir describiendo cada uno de los elementos:

- **La barra de herramientas de acceso rápido:** contiene las opciones que más se usan, aunque puede ser configurable según el usuario. Tiene una serie de iconos o botones. Destacamos tres, que son:

– **Guardar.**

– **Deshacer,** deshace las últimas acciones.

– **Rehacer**. Rehace lo que se ha deshecho.

Barra de acceso rápido

- **La barra de título:** contiene dos elementos, nombre del programa y nombre del documento.
- **La cinta de opciones:** aquí se encuentran todas las herramientas de Word. Están distribuidas en pestañas o fichas y a su vez con opciones en forma de botones o selectores, que están agrupados por ejemplo en grupos de párrafos o tipos de letras.

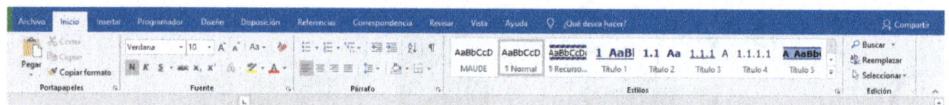

Opciones de inicio

- **Zoom**. No se ha de confundir con el tamaño de letras. Es una forma de visualizar la pantalla, ampliando o disminuyendo ésta. Lo podremos realizar con elementos que vemos en la imagen inferior; hacia la derecha aumenta, hacia la izquierda disminuye el zoom.

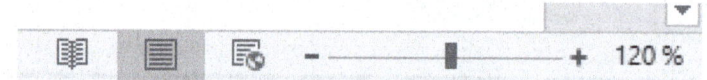

Barra zoom en Word

- **La barra de estado**, muestra información del:

  – Estado del documento, como el número de páginas y palabras.
  – El idioma en que se está escribiendo por defecto.

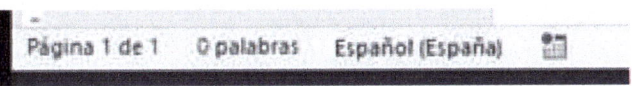

Barra de estado

Otros elementos importantes que veremos más adelante con atención son la *regla vertical y horizontal*, las *sangrías* y los *márgenes*.

Anotación

Las pestañas también reciben el nombre de fichas.

B. Menú

En pestañas están organizadas cada una de las opciones que a su vez presentan numerosos botones o iconos.

- **Inicio:** presenta las opciones más importantes: *Estilos, formato párrafos, fuentes, edición, como cortar, copiar y pegar, buscar, reemplazar.*
- **Insertar**: para insertar elementos, como imágenes, gráficos, WordArt, etc.
- **Diseño**: para elegir temas.
- **Disposición:** entre otras opciones, se puede modificar el diseño de páginas.
- **Referencia**: insertar referencias en el texto.
- **Correspondencia**: para hacer combinaciones de documentos con bases de datos.
- **Revisar**: revisión de sinónimos, ortografía, etc.
- **Vista**: modifica de la vista de lectura, entre otras cosas el zoom.
- **Ayuda.**

A muchas de estas funciones se pueden acceder con combinaciones de teclado, como por ejemplo:

Abrir	Ctrl+A
Guardar	Ctrl+G
Cerrar	Ctrl+R
Cortar	Ctrl+X
Copiar	Ctrl+C
Pegar	Ctrl+V
Seleccionar todo	Ctrl+E
Negrita	Ctrl+N
Cursiva	Ctrl+K
Subrayado	Ctrl+S

Algunas combinaciones de teclas en Microsoft Word

Anotación

Pulsando la tecla ALT entraremos en el modo de acceso por teclado. Para salir del modo de acceso por teclado volveremos a pulsar la tecla ALT.

C. Abrir o crear un documento

Lo primero que vamos a ver es cómo abrir y crear un documento, en principio crearlo sólo con abrir el icono de Microsoft Word. Con un doble clic si estamos en el escritorio o un solo clic si el icono está en la barra de tareas, como vemos en la imagen inferior:

Icono de Microsoft Word en la barra de tareas

Nos aparecería un documento en blanco, como vemos en la imagen inferior:

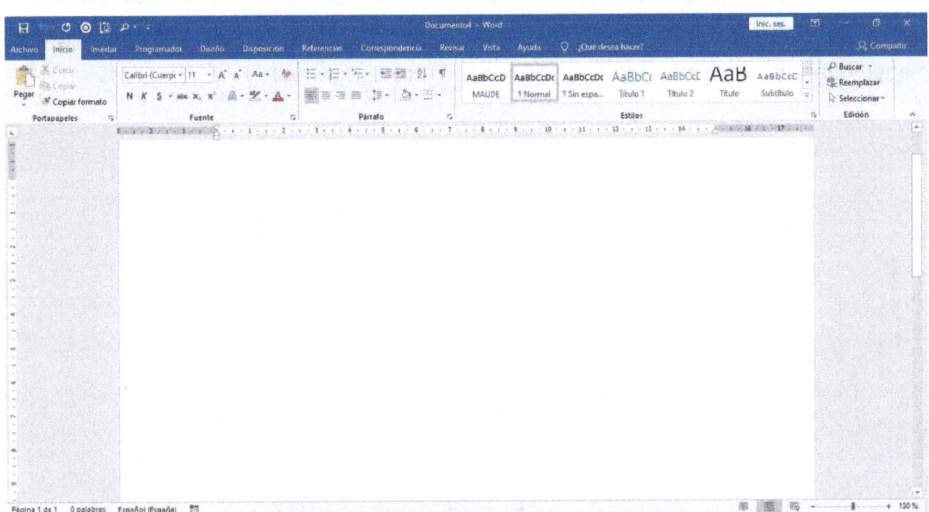

Ventana de Microsoft Word con un documento en blanco

Pero si lo que queremos es abrir un documento ya existente, podemos realizarlo de dos maneras:

- Pulsando doble clic sobre un documento que tengamos en el explorador de archivos, o bien una vez abierto el programa a través de la opción archivo, aparecerá esta ventana, y desde aquí solo tenemos que irnos a ***abrir***.

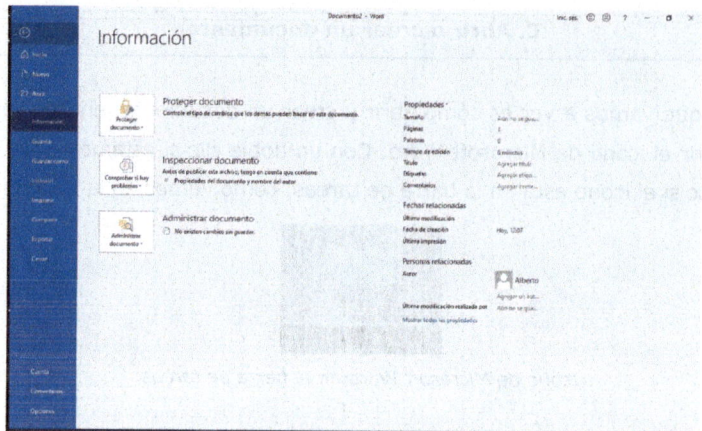

La ficha Archivo

Una vez pulsado *abrir*, podemos optar por los archivos recientes, o bien dirigirnos tanto a la *nube de* **Microsoft "OneDrive"** o bien a examinar, como vemos en la imagen inferior:

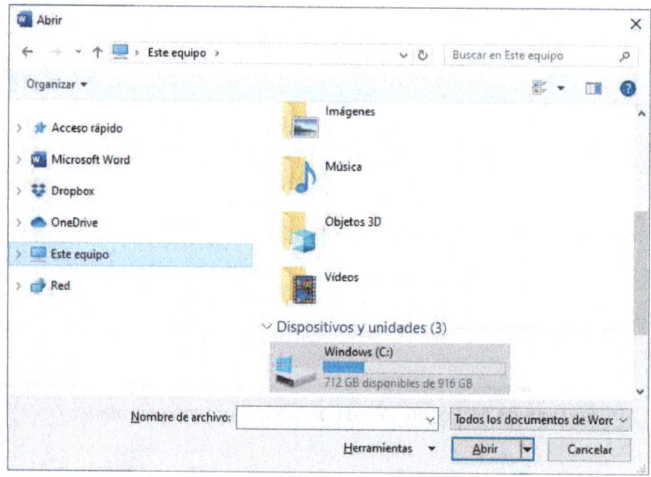

Ventana para abrir archivos

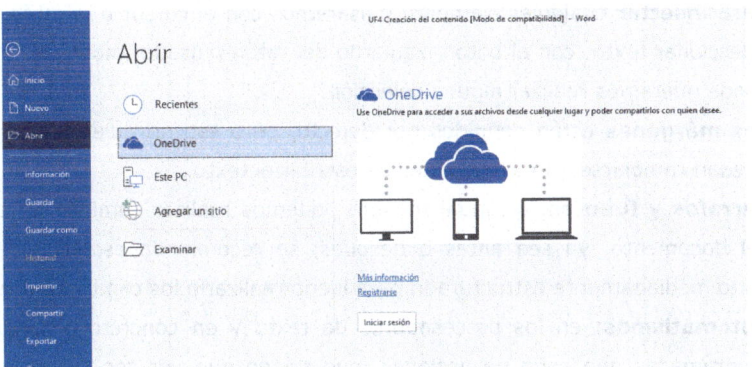

Ventana acceso a OneDrive

D. Primeros pasos con Word

Vamos a ir aprendiendo los elementos básicos, para poder escribir un documento en Microsoft Word. Puesto que conocemos el teclado y el uso del ratón, escribir no es lo más difícil, aunque requiere su tiempo, alcanzar cierta velocidad, para ello hace falta un poco de mecanografía.

Estructurar un documento siempre es mejor, ya que nos permite un fácil manejo del mismo.

Antes de continuar, veamos las características que tiene un procesador de textos al escribir:

- Al llegar al final de margen baja solo de línea, siempre y cuando sea un párrafo. Si queremos saltar de línea automáticamente, deberemos pulsar la tecla **ENTER o INTRO.**
- **Para insertar** cualquier elemento pulsaremos con el cursor o el ratón, y para seleccionar texto, con el botón izquierdo del ratón pulsado, mover el ratón por donde queramos realizar alguna selección.
- **Los márgenes** están definidos por defecto, pero eso no quiere decir que no puedan cambiarse antes o después de escribir el texto.
- **Párrafos y fuentes.** De igual manera podemos realizar cambios en el estilo del documento, ya sea antes o después, se recomienda escribir primero el texto medianamente estructurado para luego realizarle los cambios necesarios.
- **Automatismos:** en los procesadores de texto y en concreto en Word, hay programadas una serie de acciones, que tienen que ver con *listas, viñetas...* aunque en lo que más se nota es en la autocorrección gramatical. Por ejemplo, si escribimos palabras como *ahora* sin hache, Word automáticamente la corregirá.
- **Insertar elementos:** únicamente para introducir texto no sirve solamente Word. Dibujos, fotografías, logotipos, tablas, gráficos y otros muchos objetos pueden ser insertados en Word, al igual que en los demás procesadores de texto de otras aplicaciones como *Libre Office* o *documentos de Google*.

E. Formatear el texto

1. Formato de letras

Nos referimos a *formato de letras* cuando hablamos de la manera en que se muestran los elementos que se escriben como texto, es decir cada una de las letras, números y signos de puntuación.

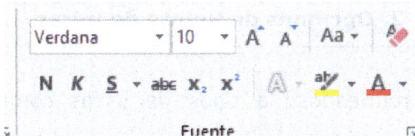

Opciones dentro de la pestaña de inicio, referente a los tipos de letras

También podemos pulsar con el botón derecho del ratón:

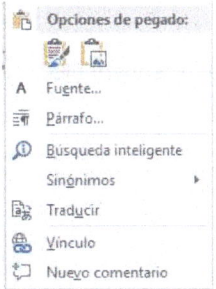

Ventana con el botón derecho del ratón

Al pulsar en fuente, nos encontramos con la siguiente ventana:

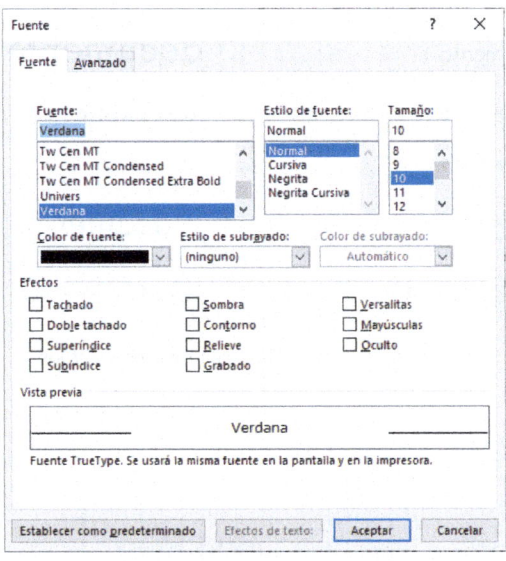

Ventana de fuente de letras

---

2. Opciones de fuente de letras

- **Fuente de letras:** refiriéndose a tipos de letras como *Times New Roman*, *Verdana*, *Arial*, etc.
- **Estilo de fuentes:** normal, cursiva, negrita.
- **Tamaño de letras.**
- **Color de fuente.**
- **Estilo de subrayado.**
- **Color de subrayado.**
- **Efectos:** tachado, doble tachado, superíndice, subíndice, versalitas, mayúsculas, oculto.

 **Importante**

Es importante seleccionar un tipo de letras adecuado a lo que quiero escribir. Por ejemplo, algunos tipos de letras como las de tipo gótico que pueden ser muy elegantes. En cuanto al diseño, hay que buscar fuentes de letras claras y legibles.

Documento	documento
Documento	**documento**
Documento	*documento*
<u>Documento</u>	Documento
Documento	~~Documento~~

Textos escritos con diferentes fuentes y estilos

3. Formato párrafo

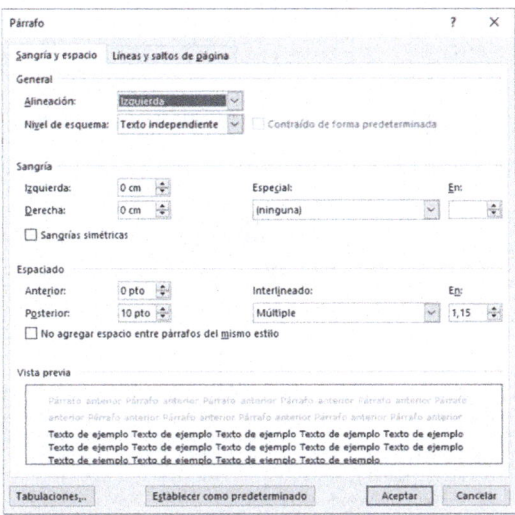

Opciones de párrafo

Aquí podemos elegir las características de formato de un párrafo para cambiar. Primero seleccionamos y después elegimos el formato que queremos.

Las características más importantes de formato de párrafo son:

- **Alineación**

    – Izquierda.
    – Centrada.
    – Derecha.
    – Justificada.

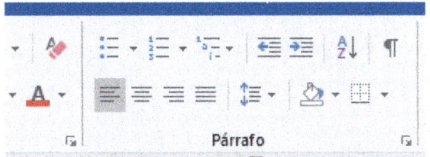

Alineación en la pestaña inicio

En general los documentos se escriben de manera justificada. Observe el texto de la imagen inferior y verá los distintos tipos de justificado.

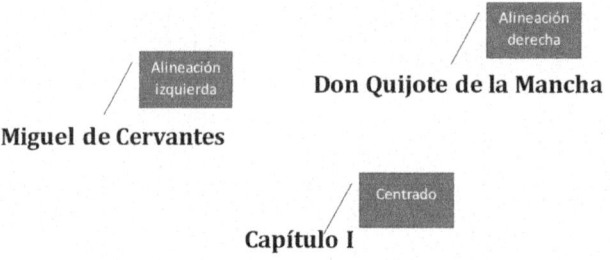

Tipos de alineaciones de texto

- **Sangría:** las sangrías es lo más parecido a establecer márgenes a párrafos. Los márgenes se aplican a un documento completo, en cambio las sangrías son diferentes a los márgenes. Por ejemplo, cuando se va a realizar una cita.

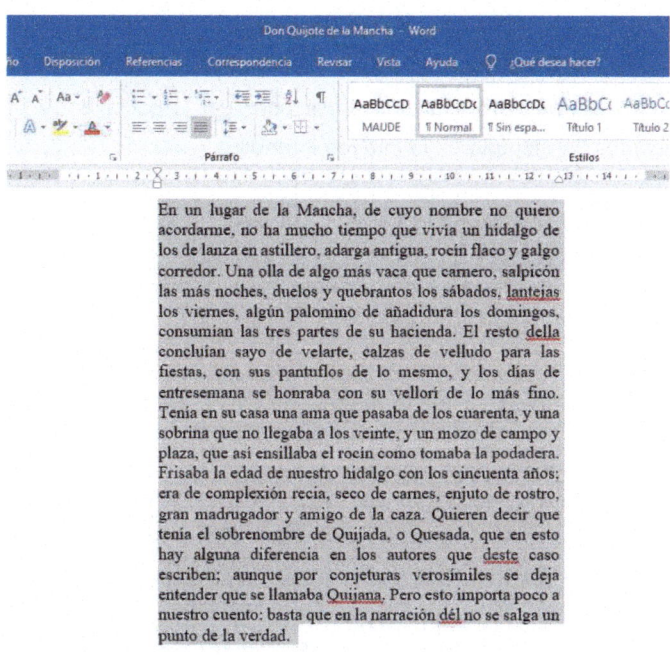

Texto con sangría izquierda y derecha

Las sangrías son de diferentes tipos:

- – Sangría izquierda.
- – Sangría derecha.
- – Primera línea.
- – Sangría francesa.

En el ejemplo que tenemos arriba, hemos utilizado sangría izquierda y derecha.

- **Espaciado de párrafo:** los utilizamos para dar espacio entre un párrafo y otro, veamos un ejemplo en la imagen inferior:

En un lugar de la Mancha, de cuyo nombre no quiero acordarme, no ha mucho tiempo que vivía un hidalgo de los de lanza en astillero, adarga antigua, rocín flaco y galgo corredor. Una olla de algo más vaca que carnero, salpicón las más noches, duelos y quebrantos los sábados, lantejas los viernes, algún palomino de añadidura los domingos, consumían las tres partes de su hacienda. El resto della concluían sayo de velarte, calzas de velludo para las fiestas, con sus pantuflos de lo mesmo, y los días de entresemana se honraba con su vellorí de lo más fino.

Tenía en su casa una ama que pasaba de los cuarenta, y una sobrina que no llegaba a los veinte, y un mozo de campo y plaza, que así ensillaba el rocín como tomaba la podadera. Frisaba la edad de nuestro hidalgo con los cincuenta años; era de complexión recia, seco de carnes, enjuto de rostro, gran madrugador y amigo de la caza. Quieren decir que tenía el sobrenombre de Quijada, o Quesada, que en esto hay alguna diferencia en los autores que deste caso escriben; aunque por conjeturas verosímiles se deja entender que se llamaba Quijana. Pero esto importa poco a nuestro cuento: basta que en la narración dél no se salga un punto de la verdad.

Espacio de 6 puntos posterior

En este caso, hemos establecido un espacio entre párrafos de 6 puntos, si lo hacemos en el documento, cada vez que le demos ***ENTER,*** nos saltará un espacio doble.

- **Interlineado:** sirve para dar espacio entre líneas, vamos a ver un ejemplo en la imagen inferior donde hemos elegido espaciado 1,5.

En un lugar de la Mancha, de cuyo nombre no quiero acordarme, no ha mucho tiempo que vivía un hidalgo de los de lanza en astillero, adarga antigua, rocín flaco y galgo corredor. Una olla de algo más vaca que carnero, salpicón las más noches, duelos y quebrantos los sábados, lantejas los viernes, algún palomino de añadidura los domingos, consumían las tres partes de su hacienda. El resto della concluían sayo de velarte, calzas de velludo para las fiestas, con sus pantuflos de lo mesmo, y los días de entresemana se honraba con su vellorí de lo más fino.

Ejemplo interlineado 1,5

Si lo comparamos con la misma imagen anterior a ésta, veremos la diferencia de un espacio mayor entre línea y línea diferente al que hemos visto antes.

4. Bordes y sombreados

Esta opción nos permite remarcar textos, utilizando la opción de bordes y sombreados. Podemos elegir diferentes tipos de líneas, colores y formas. También distintos tipos de sombreados. Podemos realizarlo desde la pestaña inicio.

Opción de sombreado en la pestaña inicio

Opción de borde en la pestaña de inicio

También podemos realizar más cambios pulsando en la opción bordes y sombreado.

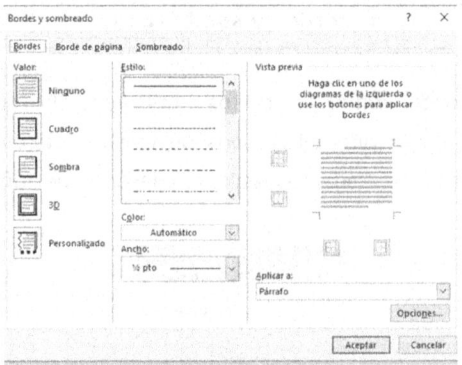

Ventana de bordes y sombreados

En esta última opción podemos modificar con más opciones, y además utilizar la opción de borde de página.

---

5. Listas con viñetas, numeración y esquema multinivel

Esta opción sirve para crear listas, podemos realizarlas con viñetas, con números o con esquema multinivel. Para desplazarnos por cada viñeta, emplearíamos **ENTER**, de esa manera repetiría la viñeta. Si quisiéramos eliminar la viñeta, la tecla del teclado llamada *tecla retroceso*.

Tecla de retroceso

En la parte inferior vemos la ventana donde se encuentran las distintas viñetas que podemos elegir:

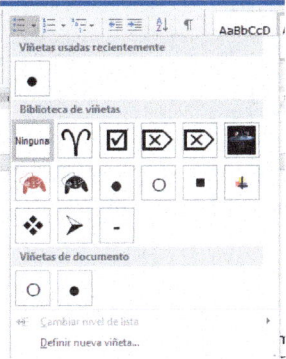

Opción de viñetas

- **Opción de numeración:** Podemos realizar diferentes tipos de listas con números, cambio de la numeración, entre otras opciones.

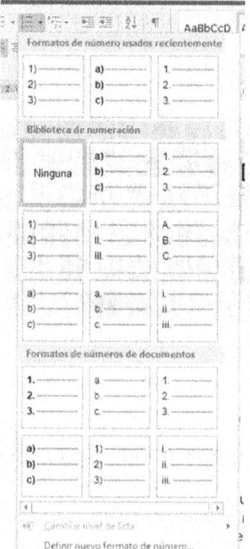

Opciones de lista de numeración

- **Listas multinivel:** Con esta opción podemos realizar listas más complejas, porque podemos crear listas con subniveles.

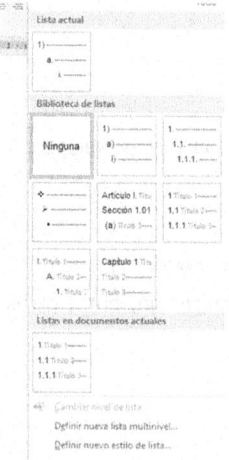

Opciones de lista multinivel

Veamos un ejemplo en la imagen inferior. Hemos realizado varias listas multinivel, la primera es con viñetas, la segunda con números y la tercera realizada con lista multinivel

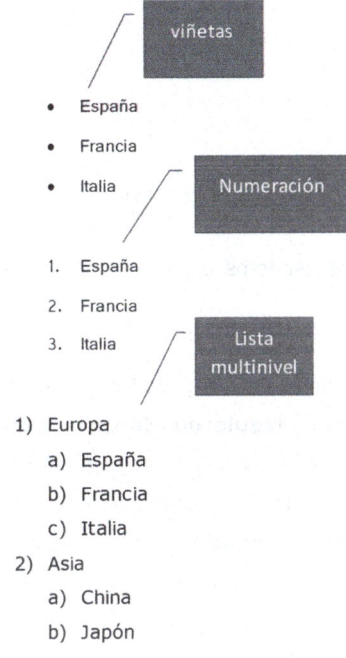

Tipos de listas

 **Importante**

Los elementos de una lista tienen una característica principal, es que se pueden ordenar alfabéticamente. Se puede realizar con el botón **ordenar,** que lo podemos encontrar en el menú inicio.

Botón ordenar

F. Diseño del documento

1. Configuración página

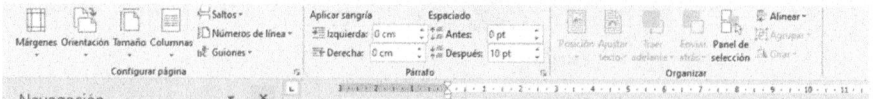

Pestaña Disposición

Desde esta opción configuramos aspectos como los márgenes, el tipo de papel o la orientación.

En el caso de los márgenes, tenemos los siguientes como se puede observar en la imagen inferior: **superior, inferior, izquierdo, derecho y encuadernación**, que es en realidad otro margen añadido al margen derecho, que se usa para encuadernar el documento. Por defecto tenemos una configuración que en el caso de la imagen mencionada anteriormente es de **2,5 centímetros** en todos los márgenes y 0,5 en encuadernación, pero se puede cambiar al diseño que necesitemos.

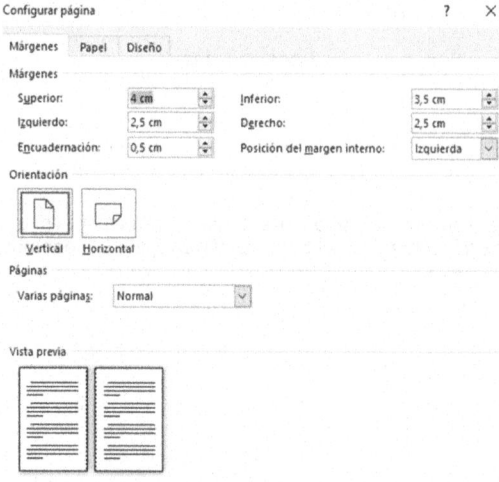

Ventana de configurar página

Otro elemento importante es **la *orientación***. Podemos modificar la orientación de la página a horizontal o vertical.

En la parte inferior, tenemos una opción que es establecer como predeterminada. Esto se puede utilizar si quieres cambiar esta configuración no sólo para el documento activo, también para todos los documentos que hagas nuevos.

2. Encabezados y pies de páginas

Un encabezado es un texto que se insertará repetidamente al principio de cada página. Se suele utilizar para escribir el titulo por ejemplo de un capítulo de un libro, como podemos observar en este manual, se pueden incluir otros elementos como fecha, hora, número de páginas.

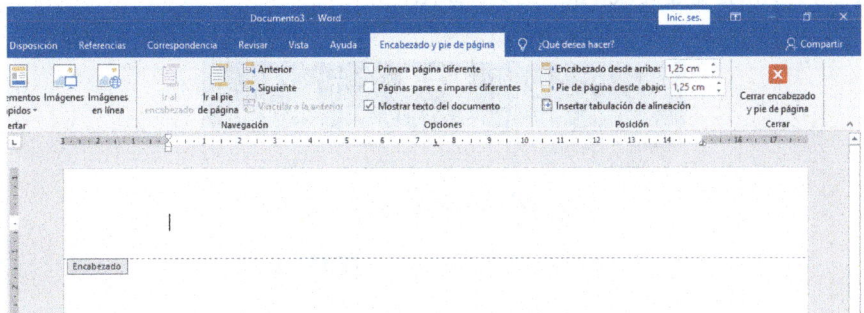

Encabezado de página

La misma funcionalidad tiene el pie de página pero al final del documento, como vemos en este mismo manual, donde aparece el número de página.

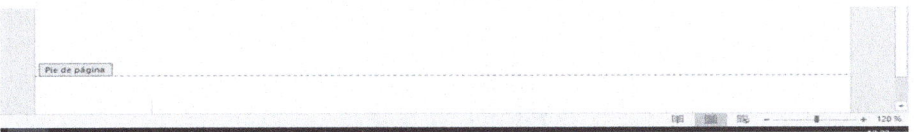

Pie de página

En el momento que estamos en el pie o en el encabezado, se abre una nueva opción en el menú, con una pestaña donde aparecen distintas opciones de modificación del encabezado:

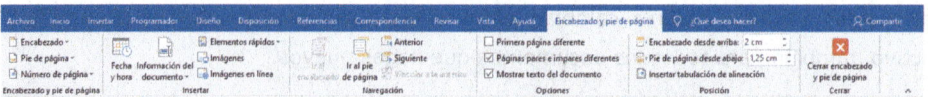

Desde aquí podemos insertar número de página, fecha y hora, y otras configuraciones anexas

---

3. Insertar elementos

En un procesador de texto, con el que podemos insertar diferentes elementos. Imágenes, gráficos, SmartArt, formas, etc. Por ejemplo, si queremos insertar títulos vistosos, tenemos una opción que es *WordArt*.

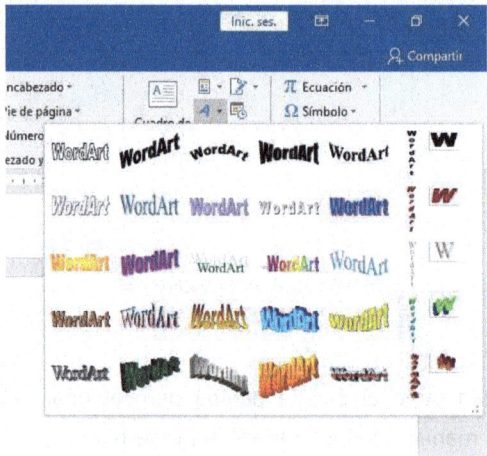

Opciones de estilos en WordArt

Ejemplo de texto realizado con WordArt

Una vez que tenemos nuestro WordArt podemos modificarlo, en una pestaña nueva llamada formato de forma:

Formato de forma

Desde aquí podemos modificar estilos, bordes, añadir efectos 3D, etc.

4. Insertar imágenes

Tenemos la posibilidad de insertar imágenes desde archivo, porque lo tengamos almacenado en nuestro disco local, o usando la opción de insertarla desde el buscador *Bing de Microsoft*, como desde el sistema de almacenamiento también de *Microsoft, OneDrive.*

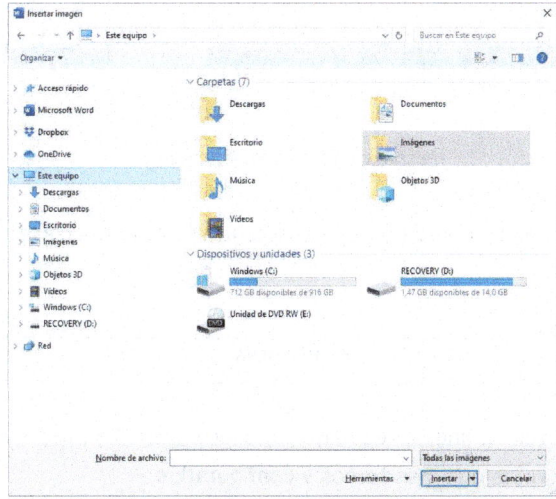

Insertar imagen desde archivo

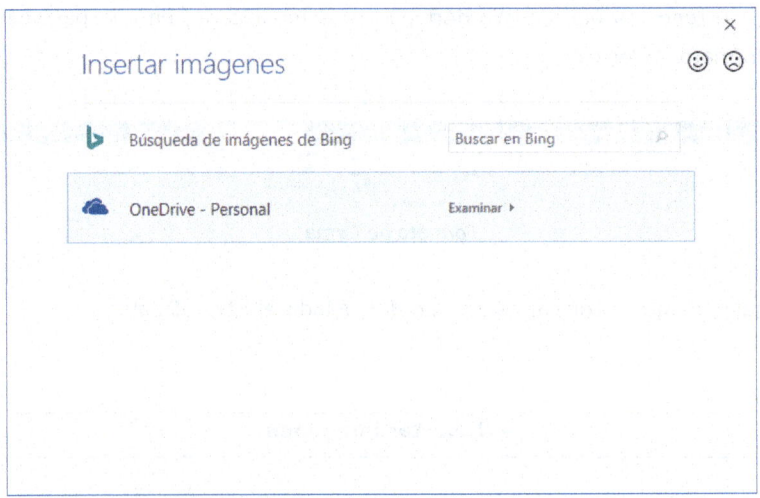

Insertar imagen en línea

Una vez insertada una imagen si pulsamos la imagen nos aparecerá una nueva pestaña, mediante la cual podremos realizar diferentes modificaciones de color, estilos, efectos...

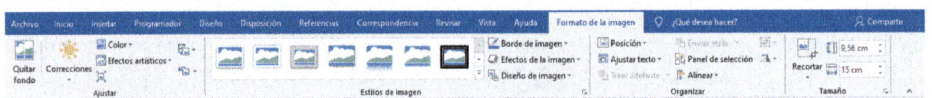

Pestaña de formato de imagen

Si buscamos imágenes con Bing podremos encontrar diferentes clases de imágenes.

5. Formas

Podemos insertar flechas, líneas, rectángulos, elipses, etc. Se puede escribir dentro de la mayoría de las formas que insertemos y configurarlas.

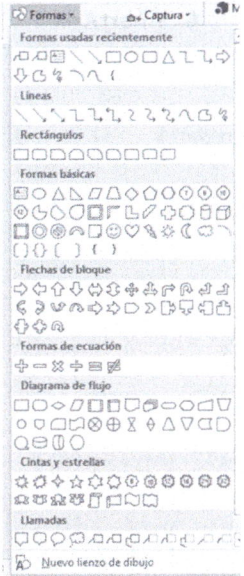

Diferentes formas en Word

EL QUIJOTE DE LA MANCHA

Ejemplo de forma, con texto en su interior

En el momento que insertamos una forma y esta si la tenemos seleccionada, aparecerá una nueva pestaña llamada formato de forma, como vemos en la imagen inferior, donde podremos realizar diferentes modificaciones de colores, líneas y efectos.

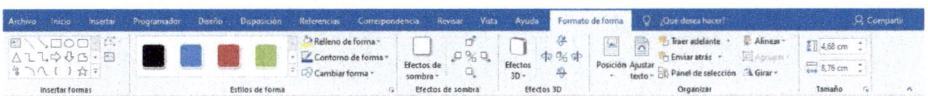

Pestaña de formato de forma

---

6. SmartArt

Son organigramas que representan datos.

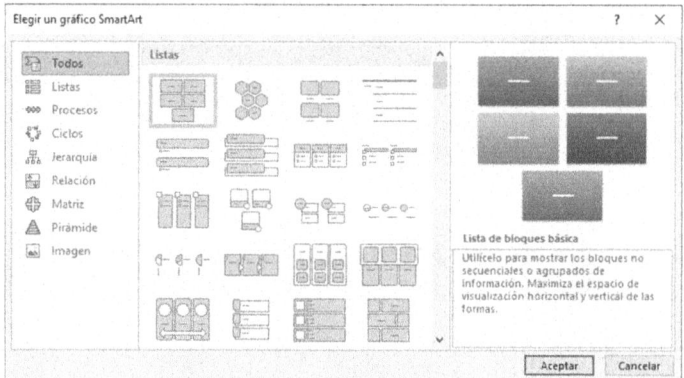

Ventana de SmartArt

---

7. Gráfico

Sirven para representar datos en forma de gráficos de diversos tipos.

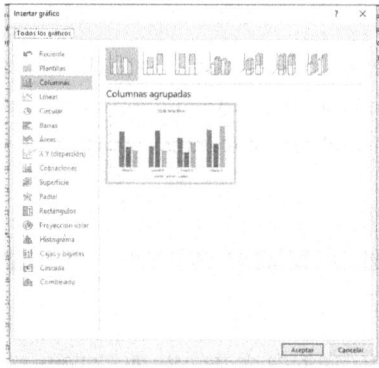

Ventana para insertar gráficos

8. Símbolos

Con esta opción podemos insertar unos símbolos, como por ejemplo el símbolo del teléfono, como podemos ver en este ejemplo.

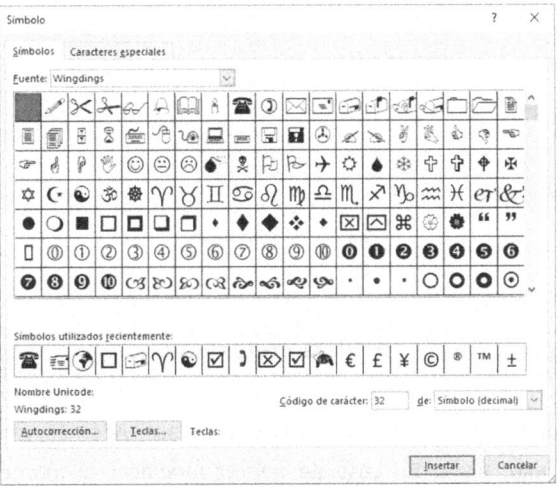

Ventana insertar símbolos

9. Impresión

A través de esta opción, podemos elegir la impresora con la que vamos a imprimir, así como indicarle el número de copas, impresión en una o doble cara, etc. A la derecha de las opciones de imprimir, tenemos la vista preliminar del documento.

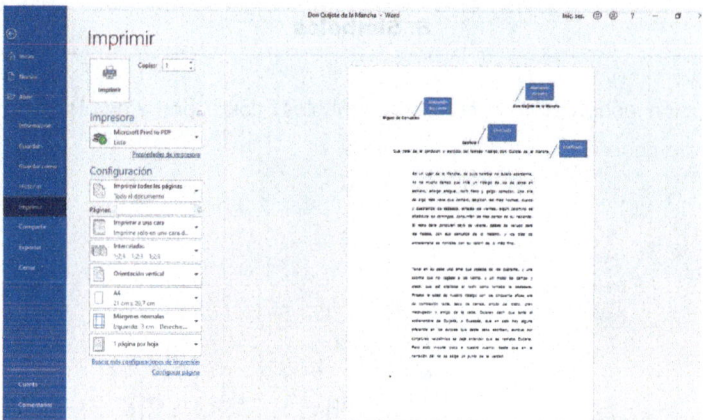

Opción de imprimir

---

10. Vista preliminar

Nos permite ver cómo nos está quedando el documento. Además, podemos modificar los márgenes con esta vista. En caso de querer modificar el margen superior, solo necesitaremos poner el cursor en la regla vertical justamente al final de la zona oscura del margen, cuando aparezca una flecha doble, realizamos la acción de modificar margen arrastrando hasta la nueva posición.

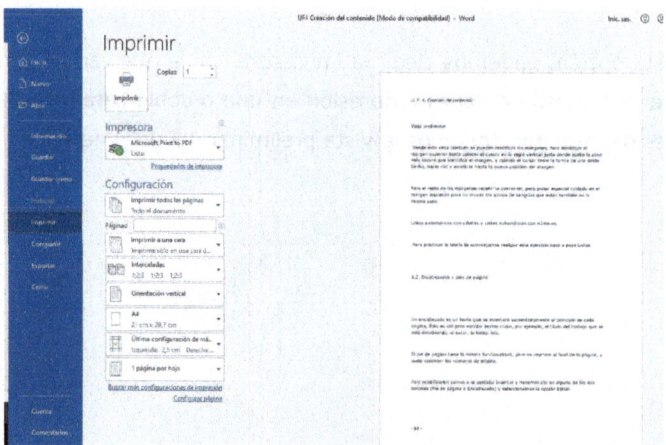

Opción de vista preliminar

---

11. Vista zoom

El zoom nos sirve para ampliar o disminuir la visión del documento.

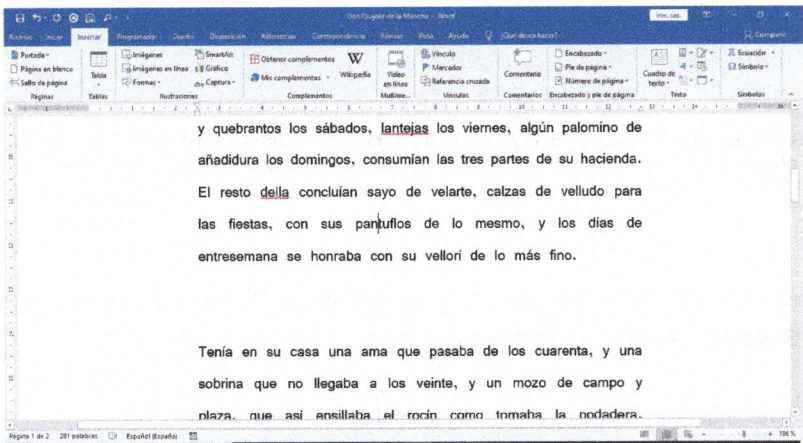

Ejemplo de documento con el zoom a 196%

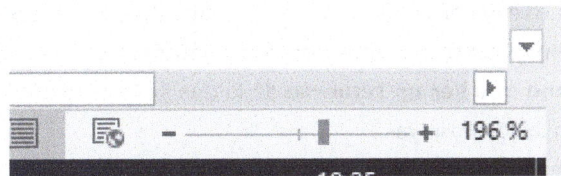

Ampliación del ejemplo anterior

1.2. Presentaciones: Power Point

Power Point es un programa para realizar presentaciones. Otros paquetes ofimáticos tienen también sus aplicaciones de presentaciones, como es el caso de *Google documentos*, y *Libre Offic*e entre otros.

Un programa de presentaciones puede ser útil para:

– Presentaciones de servicios o productos.

- – Reuniones de trabajo.
- – Apoyo didáctico a un profesor o formador.
- – Exposiciones en congresos o seminarios.

Importante

En el caso de que se quiera hacer algún tipo de exposición, un programa de presentación es la manera más sencilla, visual y potente, de reforzar el mensaje que se quiere dar.

En estas presentaciones podemos insertar numerosos elementos, desde imágenes, tablas, SmartArt, WordArt, formas, vídeos, etc.

Vamos a ver algunos consejos a la hora de realizar presentaciones:

- **Colores y estilo equilibrado**. Por ejemplo, evitar demasiados colores. Es preferible que tenga armonía, y que haya contraste entre el texto y el fondo.
- **Equilibro entre texto y elementos como imágenes**.
- **El texto tiene que ser un refuerzo** de lo que se va a contar, no que se lea lo que pone en las diapositivas.
- **Las imágenes tienen que tener relación** con lo que se cuenta en la presentación.

A. Entorno de Power Point

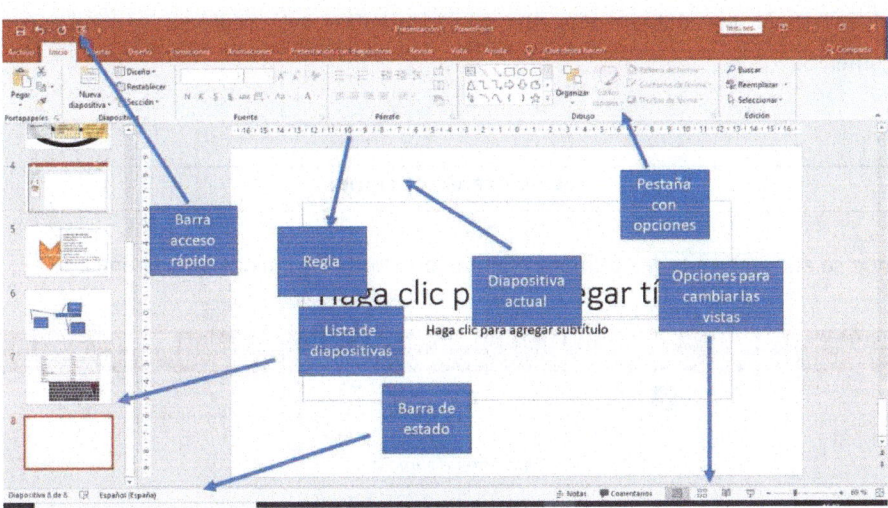

Entorno de Power Point

En la imagen superior podemos ver los distintos elementos que componen el entorno de Power Point, vamos a ir describiendo cada uno de los elementos:

1. La barra de herramientas de acceso rápido

Contiene las opciones que más se usan, aunque puede ser configurable según el usuario. Tiene una serie de iconos o botones, destacamos tres, que son:

- **Guardar.**
- **Deshacer.** Deshace las últimas acciones.
- **Presentación.** Sirve para realizar una presentación en pantalla de las diapositivas.

Barra de acceso rápido

---

2. La barra de título

La barra de título contiene dos elementos; nombre del programa y nombre del documento.

---

3. La cinta de opciones

Donde se encuentran todas las herramientas de Word distribuidas en pestañas.

Opciones de inicio

---

4. Zoom

No se ha de confundir con el tamaño de letras, es una forma de visualizar la pantalla, ampliando o disminuyendo esta. Lo podremos realizar con el elemento que vemos en la imagen inferior, hacia la derecha aumenta, hacia la izquierda disminuye el Zoom.

---

5. La barra de estado

Muestra información del:

- Estado del documento, como el número de diapositivas.
- El idioma en que se está escribiendo por defecto
- Diferentes tipos de vistas.

Barra de estado

---

6. Menú

En pestañas están organizadas cada una de las opciones que a su vez presentan numerosos botones o iconos.

- **Inicio:** presenta las opciones más importantes, como nueva diapositiva, estilos rápidos, interlineado, fuentes, edición, como cortar, copiar y pegar, buscar, reemplazar.
- **Insertar**: para insertar elementos, como imágenes, gráficos, WordArt, etc.
- **Diseño**: para elegir temas.
- **Transiciones:** sirve para configurar las transiciones de una diapositiva a otra.
- **Animaciones**: permite realizar animaciones a los objetos y textos.
- **Presentación con diapositivas**: sirve para configurar la presentación de las diapositivas.
- **Revisar**: para sinónimos, ortografía y reglas gramaticales.
- **Vista**: modifica la vista, entre otras cosas el zoom.
- **Ayuda.**

Ejemplo

A muchas de estas funciones se pueden acceder con combinaciones de teclado, como, por ejemplo: F5 para mostrar la presentación en pantalla.

---

7. Tipos de vistas

Vamos a ver primero los tipos de vistas que tenemos en Power Point. Se puede cambiar de vista tanto en el menú, en la pestaña vista, como en la barra de estado.

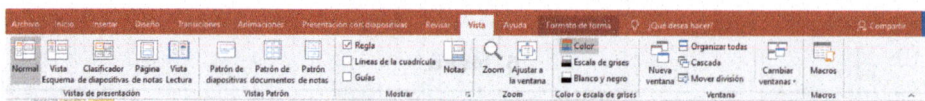

Opcion vista

8. Vista normal

En esta vista se puede ver, a la derecha la diapositiva actual y a la izquierda una lista con todas las diapositivas de la presentación.

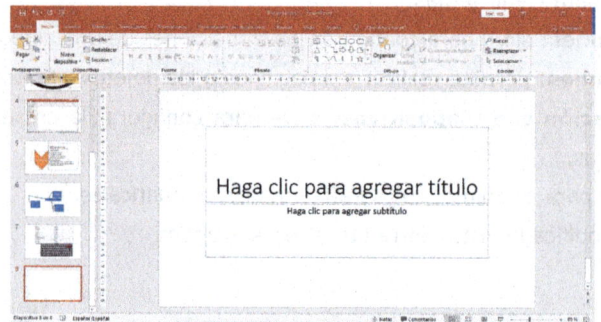

Vista normal

9. Clasificador de diapositivas

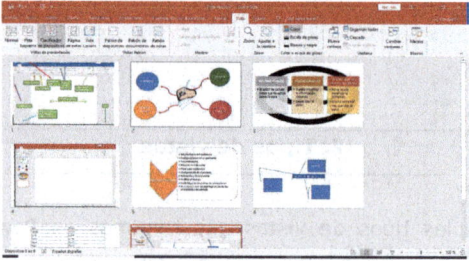

Vista clasificador con diapositivas

Con esta opción vemos en la pantalla principal una lista de diapositivas en miniatura, y si queremos ampliar alguna para trabajar en ella, pulsamos con un doble clic.

Hay otras vistas, dependiendo de cómo queramos trabajar, por ejemplo, vista esquema, vista lectura, y página de notas.

Para trabajar mejor, es preferible hacerlo usando la vista normal.

---

10. Insertar una nueva diapositiva

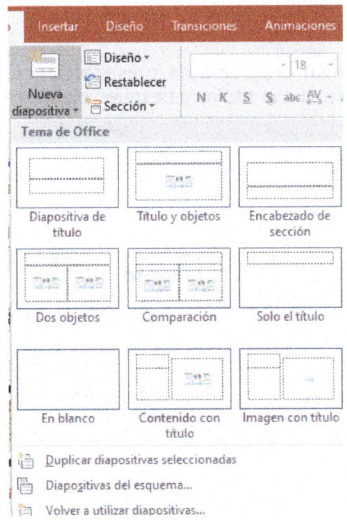

Opción nueva diapositiva

Puedes añadir una diapositiva de dos formas:

- Primero pulse en **Nueva diapositiva**, opción ubicada en la pestaña Inicio.
- También podemos hacerlo en *insertar* **nueva diapositiva.**

Podemos ver que, al insertar una nueva diapositiva, aparecen diferentes modelos:

- Diapositiva con título.
- Títulos y objetos.
- Encabezado de sección.
- Dos objetos.
- Comparación.
- Solo el título.
- En blanco.
- Contenido con título.
- Imagen con título.

Sugerencia

Si estamos comenzando a usar un programa de presentaciones, es recomendable usar como primera diapositiva la de diapositiva con título, y después elegir diapositivas en blanco.

11. Diseño

Como hemos dicho anteriormente, el diseño de las diapositivas es un elemento importante pues tiene un fuerte contenido visual. Por ello es tan importante no solo elegir el color, elementos, texto, etc. Sino también un tema que queramos aplicar.

12. Aplicar un tema

Si bien podemos aplicar un tema al principio o al terminar de diseñar las diapositivas, es preferible hacerlo al final, porque puede ocurrir que perdamos el tiempo eligiendo un diseño, cuando todavía no hemos empezado a crear las distintas diapositivas.

Imaginemos que queremos realizar una presentación ante un grupo de personas, hay primero una tarea de recopilación de información, según el tema y también el público al que va destinada la presentación, después, la primera diapositiva, donde vendrá el tema, y quien realiza dicha presentación, persona o empresa, u organización, y después iremos insertando cada diapositiva referente a los distintos temas de que vamos a tratar, al final una diapositiva con un agradecimiento.

Pestaña de diseño de temas

Podemos tanto elegir sobre temas existentes, buscar temas online, o modificar los temas ya existentes.

B. Trabajar con textos

En las diapositivas podemos insertar textos y aplicarles casi las mismas operaciones que con un procesador de texto, es decir, podemos modificar el tamaño de la letra, color, forma, podemos organizar los textos en párrafos, podemos aplicarles sangrías, etc. Veamos a continuación las opciones más comunes para trabajar con los textos.

1. Insertar texto

Podemos insertar texto, usando las diapositivas como la del tipo diapositiva de título, pero suele ser habitual que las presentaciones se salgan en extremo de esas plantillas que nos ofrece Power Point, por tanto, debemos insertar el texto de otras maneras:

- **Usando cuadros de textos.**
- **Usando formas**, en las que luego puedo escribir texto dentro de él, como vimos en Microsoft Word.

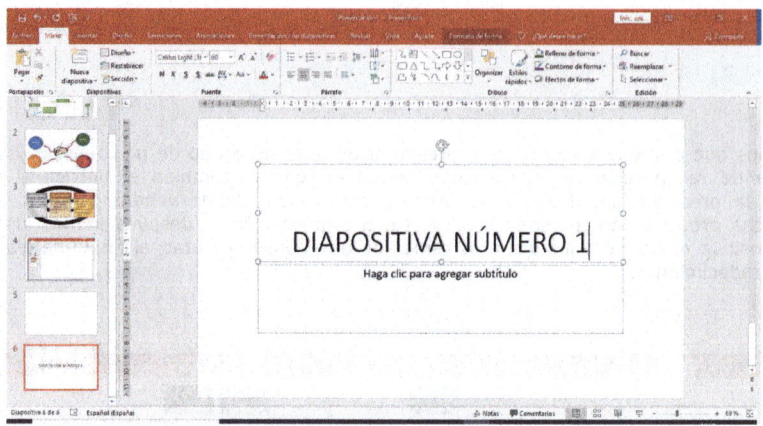

Diapositiva con texto escrito

Los cuadros de textos o formas, son fáciles de eliminar, simplemente pulsando el borde y dándole a la tecla **SUPR**, del teclado.

---

2. Insertar imágenes

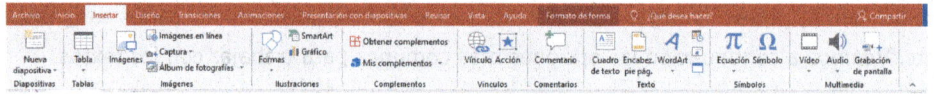

Pestaña insertar

Insertar imágenes es otra opción similar a la que vimos en el procesador de texto de Microsoft Word. Tenemos la opción de insertar desde archivo, en línea, o usando el buscador Bing de Microsoft.

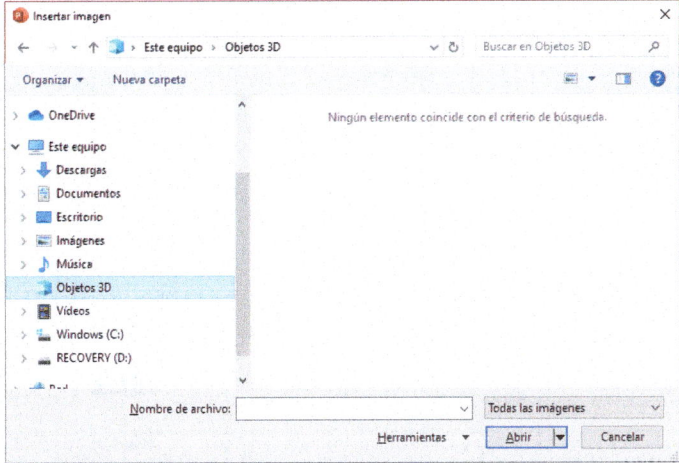

Ventana que aparece cuando pulsamos insertar imagen desde archivo

3. Imágenes en línea

Son imágenes que a través de internet buscaremos para incorporar a nuestra presentación. Al pulsar en imágenes en línea, se abrirá la ventana que vemos en la parte inferior:

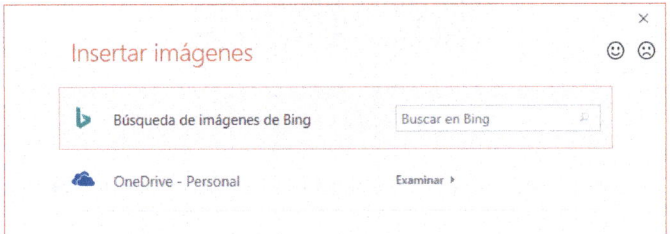

Ventana insertar imágenes en línea

Una opción interesante es la posibilidad de **insertar un álbum de fotografías**, esto resulta organizado y práctico. Si por ejemplo seleccionamos diez fotografías, automáticamente insertaría un proyecto nuevo de presentación, con una fotografía en cada dispositiva.

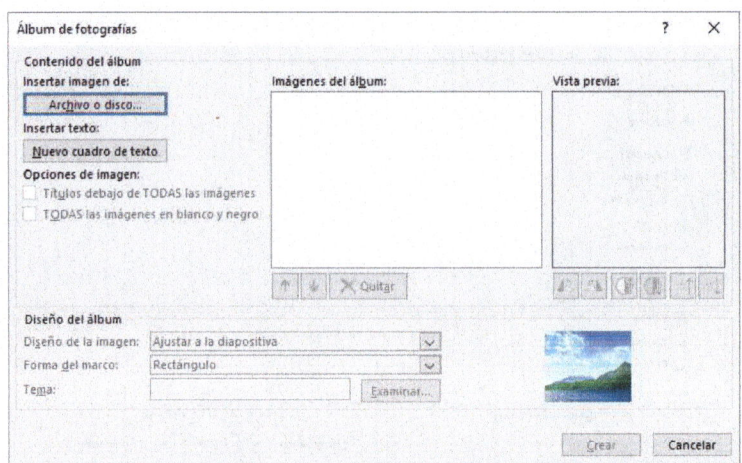

Ventana crear álbum de fotografías

C. Elementos multimedia

Podemos añadir elementos multimedia, como vídeos y sonidos.

1. Insertar sonidos

Opción para insertar vídeo, sonido o grabaciones de pantalla

Para insertar un sonido en una presentación, debemos hacer clic en la pestaña insertar, y en el grupo de Multimedia, como vemos en la imagen superior. Pulse en la flecha que aparece debajo de *audio*.

- **Audio en Mi PC:** podemos elegir el fichero que queremos insertar desde nuestro equipo.

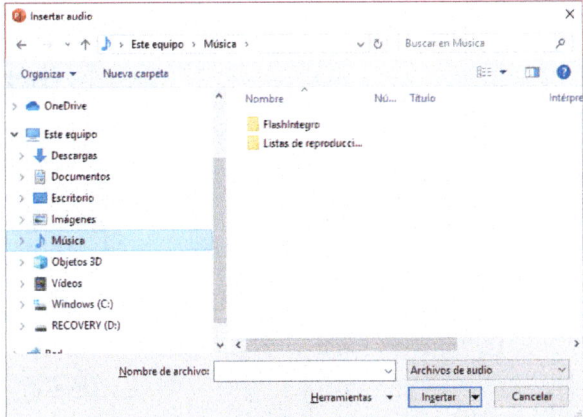

Audio en mi PC

- **Grabar audio**: a través de una grabadora de sonido, crearemos un audio que después podremos insertar en nuestra presentación.

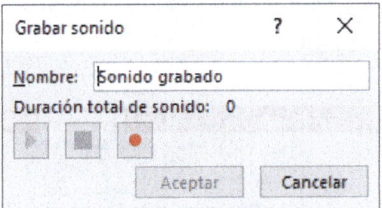

Grabadora de audio

2. SmartArt

En la pestaña Insertar, podemos pulsar en *SmartArt*. Como vimos en Microsoft Word podemos elegir de entre diferentes modelos, como vemos en la imagen inferior:

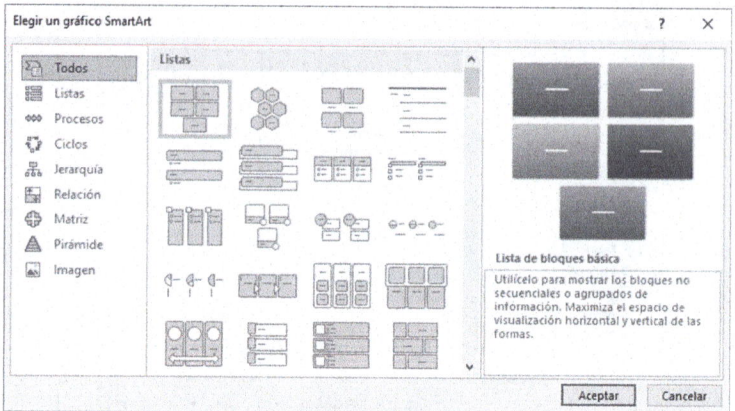

Ventana de SmartArt

Una vez insertado el SmartArt aparecerán opciones nuevas en forma de pestañas, que podemos observar en la parte superior:

- **Diseño de SmartArt:** Esta opción nos permite elegir otro diseño, modificar la forma, cambiar colores, etc.

Ventana de diseño de SmartArt

- **Formato:** Sirve para cambiar colores, estilos, líneas, rellenos de forma, efectos de formas...

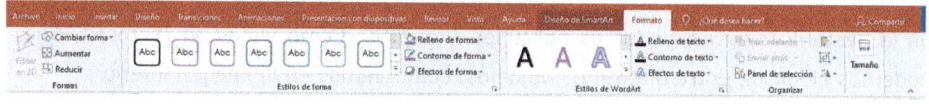

Pestaña de formato

En este ejemplo hemos insertado un SmartArt, y nos aparece a la izquierda una ventana con un esquema donde podemos escribir, aunque también podemos hacerlo sobre el propio SmartArt.

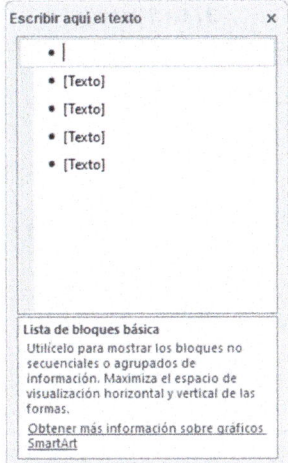

Ventana esquema del SmartArt

Como vemos en la imagen inferior donde pone la palabra **texto,** podemos escribir.

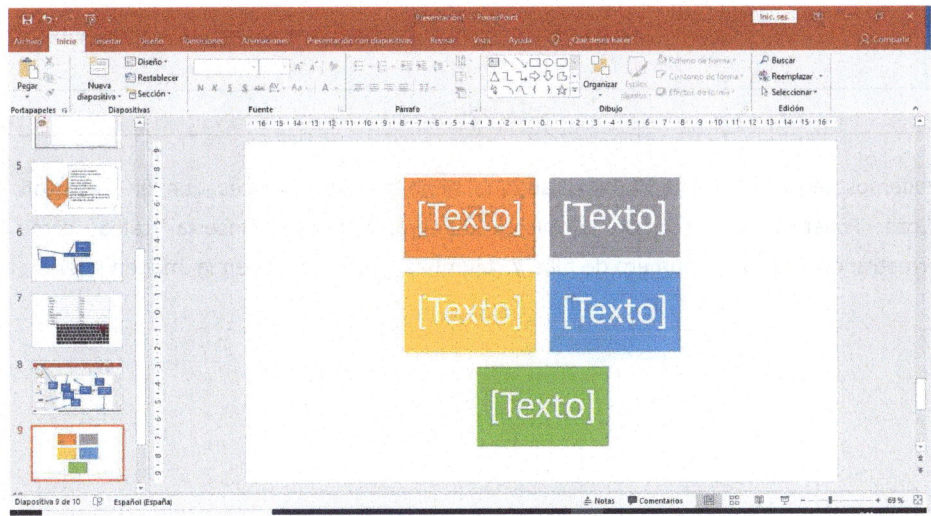

SmartArt en una diapositiva

3. Gráficos

A menudo en las presentaciones se suelen usar los gráficos para representar datos estadísticos, cantidades, etc.

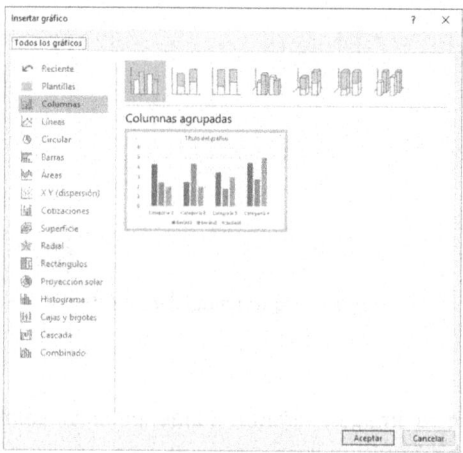

Opción de gráfico

4. Tablas

Podemos también insertar tablas, aunque tiene menos opciones que en Microsoft Word. Podemos realizarlo de la misma manera, tanto con insertar tabla, como arrastrando el ratón el número de filas y columnas, como vemos en la imagen inferior:

Opciones para insertar tablas

En este caso una vez elegida una tabla, podremos ver el resultado aquí:

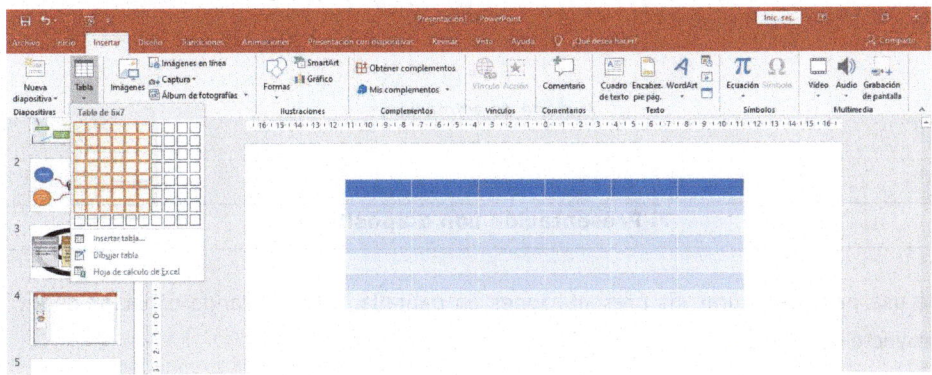

Tabla insertada en una diapositiva

También podremos insertar otros elementos, como símbolos, WordArt, formas, vínculos, etc.

5. Transiciones

Sirven para crear animaciones entre una diapositiva y otra. Podremos elegir entre una variedad de transiciones cuyos efectos se pueden aplicar sobre todas las diapositivas o de una en una.

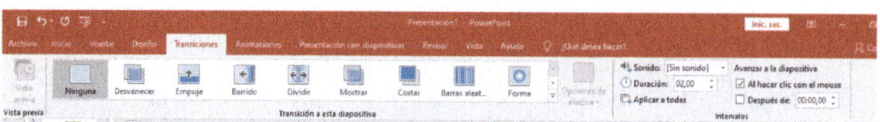

Pestaña de transiciones

6. Animaciones

Las animaciones sirven como su propio nombre indica para crear animaciones sobre textos o elementos que hayamos insertado, como imágenes, por ejemplo.

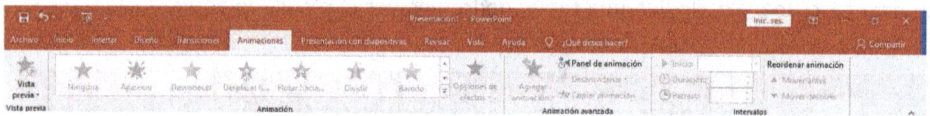

Pestaña de animaciones

7. Presentación con diapositivas

Se usa para configurar las presentaciones en pantalla, o bien cuando conectamos un proyecto de vídeo.

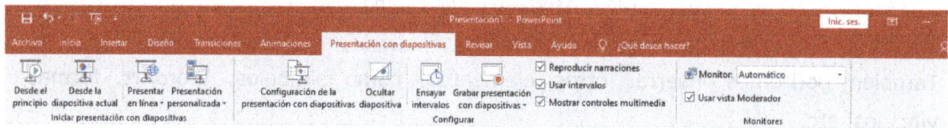

Pestaña de presentación de diapositivas

Sugerencia

Dependiendo del tema, y sobre todo del público al que va destinada la presentación, es recomendable no hacer uso de animaciones o transiciones.

---

8. Imprimir

Para imprimir una presentación pulsamos el comando CTRL+P o dirigiéndonos a Archivo y seleccionar Imprimir. A la izquierda vemos las opciones de imprimir y a la derecha una vista preliminar de una de las diapositivas.

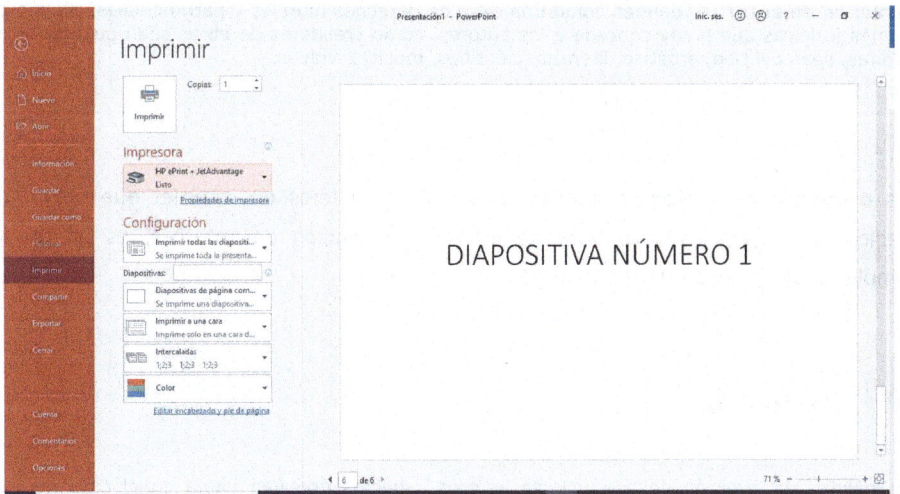

Opción de imprimir

Sugerencia

Aunque podemos imprimir las diapositivas, en general lo que suele hacer es conectar un proyector al ordenador, generalmente un portátil, para en una pantalla poder realizar la exposición.

2. Permisos a la hora de utilizar información de Internet

Vocabulario

Derechos de autor: se definen como una serie de derechos morales y patrimoniales, así como normas jurídicas que la ley concede a los autores, como creadores de obras sean publicadas o inéditas, sean del tipo, artístico, literario, científico, musical, vídeos.

Los **derechos de autor** se vuelven algo más complejos en Internet que en otros medios. Los permisos a la hora de utilizar información de Internet, es un tema complejo y de gran controversia legal.

Anotación

En realidad, la creación debe ampliarse a otros aspectos que van hasta en el caso de los programas informáticos y otros elementos creativos.

Podríamos establecer tres tipos de derechos de autor:

- **Copyright:** En el vocabulario hemos definido lo que significan derechos de autor. La palabra inglesa *Copyright* es lo mismo, y el símbolo más característico es "©". Si aparece en una web hay que prestar atención, porque indica que **está protegida por los derechos de autor.**

- **Copyleft**: Es diferente a copyright en cuanto a que permite la **libre difusión**, pero hay que diferenciarlo de gratuidad, porque si con ese contenido con Copyleft pretendemos obtener ingresos, en ese caso estaríamos infringiendo la ley.

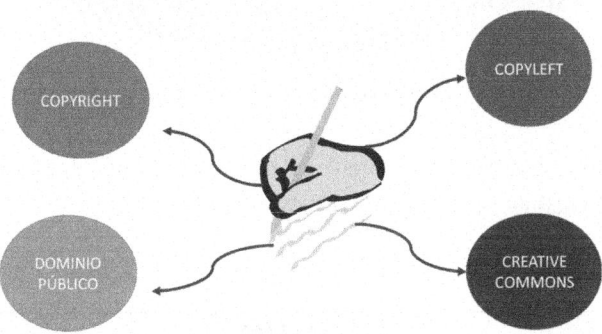

Tipos de derechos de autor

- **Creative Commons**: Esta tipología permite bajo ciertas condiciones que pone el autor, el libre uso del contenido protegido. Hay que tener en cuenta que **no significa libre y gratuito** necesariamente. Hay que leer detenidamente cual son esas condiciones particulares.

- **Dominio público**: El material puede utilizarse sin ninguna restricción, cuando el autor cede sus derechos. En caso de las obras con derechos de autor, pasa a ser público si el contenido tiene un mínimo de cincuenta años.

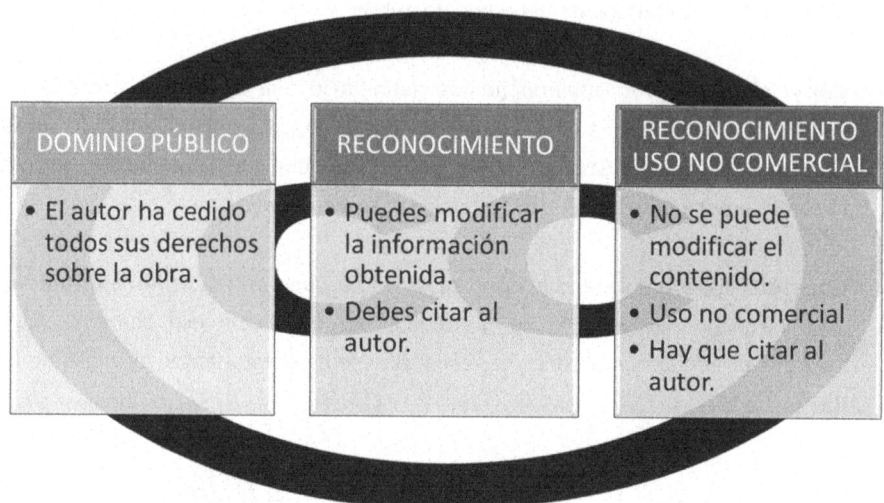

DOMINIO PÚBLICO	RECONOCIMIENTO	RECONOCIMIENTO USO NO COMERCIAL
• El autor ha cedido todos sus derechos sobre la obra.	• Puedes modificar la información obtenida. • Debes citar al autor.	• No se puede modificar el contenido. • Uso no comercial • Hay que citar al autor.

Algunos tipos de licencias Creative Commons (imágenes)

Vamos a diferenciar dos tipos de contenidos que podemos encontrarnos en Internet, por un lado, las imágenes, y por otro los textos.

A. Imágenes

En el caso de querer utilizar imágenes, hay que evitar, hacer búsquedas sin establecer algún filtro, porque puede ocurrir que esas imágenes, este protegido, dependiendo del buscador que usemos tanto Bing, o Google por ejemplo al buscar imagines, tienes una serie de opciones para poder realizar estos filtros, por ejemplo, en el caso de Google.

1. Pulsamos en **Google en imágenes.**
2. Realizamos una búsqueda, y nos vamos a herramientas, y después aparecerán diferentes opciones y pulsamos en **derechos de uso,** nos encontraremos diferentes tipos como vemos en la imagen inferior, indicándonos si podemos usarlo con fines comerciales o no, igualmente en el caso de las modificaciones.

Derechos de uso ▾   Tipo ▾   Fecha ▾   Más herramientas ▾

✓ Sin filtrar por licencia

   Etiquetadas para reutilización con modificaciones

   Etiquetadas para reutilización

   Etiquetadas para reutilización no comercial con modificaciones

   Etiquetadas para reutilización no comercial

Opciones de herramientas en la búsqueda de imágenes por derechos de uso

Saber más

Otra opción es usar sitios web que tienen catálogo de imágenes que no necesitan mención, pudiendo usarse con fines comerciales. Uno de estos sitios es Pixabay, que ofrece un catálogo gratuito de miles de imágenes de dominio público.

B. Textos

La copia de textos es ilegal, salvo que cumpla algunas de las condiciones mencionadas anteriormente, como que sean de dominio público, pero si nos basamos en un texto y cambiamos la estructura y expresiones dándole el mismo significado, la frase ha cambiado y tiene otro estilo.

Ejemplo

Imaginemos, que copiamos de internet una definición, "para conectar un pendrive a un Pc necesitaremos una conexión USB", podríamos realizar las siguientes versiones "si desea conectar un dispositivo de almacenamiento externo, como por ejemplo un Pendrive a su Pc, será necesario una conexión USB", o bien, "las conexiones USB, son necesarias en el caso de que quiera conectar un pendrive con un equipo informático".

La mejor manera para saber si un texto es plagiado de manera gratuita es usar un buscador en el caso de Google, solo tenemos que copiar el fragmento y en el resultado de la búsqueda veremos si efectivamente es un texto plagiado. Existen otros detectores de plagio de pago y otros gratuitos en línea.

3. Conocimiento de los formatos de archivos (Pdf, doc, docx, jpg, gif, png...)

Vimos en unidades anteriores la estructura de un archivo. E incluso hicimos una pequeña introducción de los diferentes formatos de archivos.

Recuerda

Los archivos se componen de varios elementos, por un lado el nombre y por otro la extensión, esta extensión, nos indica que tipo de archivo es, y generalmente se asocia con un programa que debemos tener previamente instalado, para poder manipular dicho archivo, por ejemplo si tenemos un archivo con el nombre "documento.docx", esta extensión nos indica que es un documento de Microsoft Word, pero sí en cambio se llama "documento.jpg", nos indicará que es en realidad una imagen.

A. Tipos de archivos

Podemos dividir los archivos en dos grandes grupos. Éstos son los ejecutables y los no ejecutables o archivos de datos. La diferencia fundamental entre ellos es que los primeros están creados para funcionar por sí mismos y los segundos almacenan información que tendrá que ser utilizada con ayuda de algún programa.

Vamos a ir viendo los diferentes formatos de archivos, dividido en categorías:

1. Extensiones de archivos de textos

Definen aquellos documentos, que podemos realizarles modificaciones, porque aparte de imágenes y otros elementos, contienen textos.

- **DOCX:** Es la extensión que usa Microsoft Word, pero que puede ser abierta y modificada por otros programas del mismo tipo.
- **PDF:** Son documentos, que pueden ser libros, manuales, legislación, guías, etc. Realizados en este formato, que igualmente a parte de Adobe Acrobat, pueden ser abierto o modificados por distintos programas.

Anotación

Los archivos con extensión PDF, salvo que estén protegidos, pueden ser abiertos y modificarse a través de programas de ofimática, como es el caso de Microsoft Word

- **TXT:** son ficheros de tipo texto, que pueden ser abiertos y modificados usando el bloc de notas de Windows.
- **PPTX:** esta extensión nos indicaría que el archivo es una presentación realizada en Microsoft Power Point, que como ocurre con la extensión *DOCX*, pueden ser abiertos y modificados con otros programas de ofimática.
- **RAR:** es un tipo de fichero comprimido que se puede abrir con el programa *Winrar*.
- **ZIP:** igualmente es un archivo comprimido que podemos abrirlo con el programa WinZip.

2. Extensiones de archivos de imagen

En cuanto a formatos de archivos de imagen, existe una tipología muy amplia, solo vamos a comentar o exponer algunos de los tipos más comunes:

- GIF.
- JPG.
- PNG.

3. Extensiones de archivos de audio y video

Aquí vamos a incluir tanto los ficheros de audio y vídeo más conocidos, pero igualmente existen, muchos tipos que a su vez necesitan sus códec para poder reproducirlos. Existen multitud de programas que reproducen tanto vídeos como audio, por ejemplo, el que trae por defecto Windows es Windows Media Player.

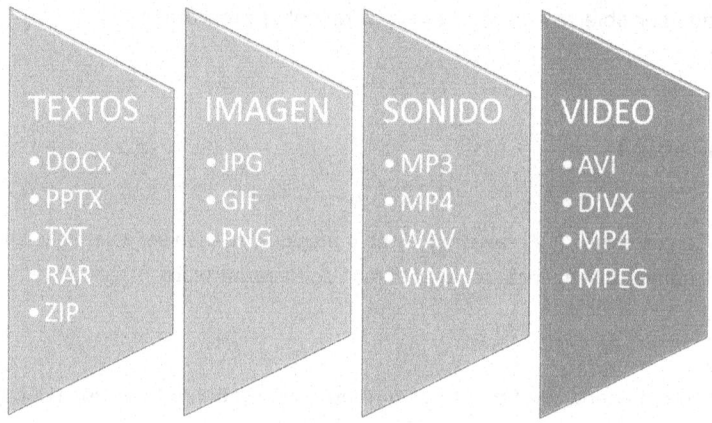

Tipos de archivos

B. Audio

- **Mp3:** (en desuso)
- **Mp4:** es un formato que puede servir tanto para audio como vídeo.
- **WAV.**
- **WMV**: es la extensión del reproductor de Windows Media Player, sirve igualmente para audio y vídeo.

C. Vídeo

- **AVI.**
- **DIVX.**
- **MP4** (también denominado MPEG-4).
- **MPEG.**

D. Abrir con

Si bien por defecto, no tenemos que cambiar la asignación del programa que abrirá cierto tipo de extensión, podemos cambiarlo fácilmente. Por ejemplo, en el caso de Windows, si pulsamos con el botón derecho sobre un archivo en concreto, aparecerá el menú que vemos en la imagen inferior.

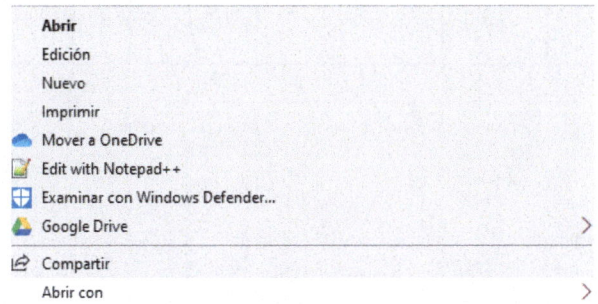

Opción abrir con

Podemos elegir uno de los programas que aparece aquí, o bien si nos vamos a la opción *Abrir con otra aplicación*, nos aparecerá esta ventana y podremos elegir otra aplicación:

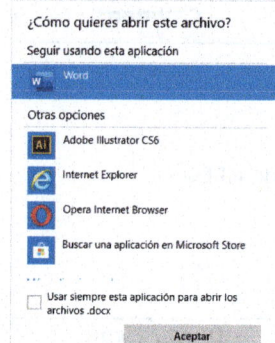

Opción para asignar otro programa a un archivo

Resumen

En esta unidad, hemos visto primero que es **un paquete ofimático**, lo hemos definido como un conjunto de aplicaciones que realizan funciones aplicadas generalmente a trabajos de oficina, tales como crear, modificar documentos, imprimir y enviarlos por correo electrónico.

Hemos aprendido a conocer las herramientas ofimáticas básicas es esencial, para poder crear contenidos, existen varios paquetes ofimáticos, algunos gratuitos y otros de pago, y de entre ellos vamos a citar a los más conocidos. *Microsoft Office, Documentos de Google, LibreOffice.*

Nos hemos centrado en el procesador de texto Microsoft Word. Hemos analizado el entorno, el menú con sus pestañas, cómo realizar un documento básico, el formato de fuente, párrafos, insertar elementos e imprimir.

También hemos conocido el programa de transiciones Microsoft Power Point, hemos visto cómo insertar diapositivas, utilizar temas, añadir también elementos, como SmartArt, WordArt, tablas, imágenes...que también vimos cuando hablamos de Word.

Además, **hemos estudiado lo que son los Derechos de autor**, definiéndolos como una serie de derechos morales y patrimoniales, así como normas jurídicas que la ley concede a los autores, como creadores de obras sean publicadas o inéditas, sean del tipo, artístico, literario, científico, musical, vídeos.

En el caso de Internet, los **derechos de autor** se vuelven algo más complejo a diferencia de otros medios. Hemos visto qué es el copyright y la diferencia con copyleft, así como las licencias **Creative Commons** y sus distintos tipos. El dominio público, aquellas obras que pasado cierto número de años, son de uso libre y gratuito, sin restricciones.

Finalmente, hemos visto los diferentes tipos de archivos, clasificados por categorías, por ejemplo, archivos de documentos como *.docx, .pptx*, imágenes con extensiones como *.png*, y *.jpg*, vídeos con extensiones como *.avi, .mp4...*

Glosario

Archivos comprimidos

Es el resultado de modificar el tamaño de un archivo con un programa para comprimir específico, cuyo principal objetivo es reducir su tamaño, sin perder información, para que ocupe menos espacio.

Códecs

Es un programa que codifica o decodifica archivos multimedia, para un correcto uso en un medio digital. Por ejemplo, si tenemos una película con extensión *.Divx* y no tenemos el códec Divx instalado, no podremos ver dicho vídeo.

Open office

Denominado también *Apache* **Open Office** es paquete ofimático libre, basado en la colaboración abierta, que consta de programas como hojas de cálculo, procesador de texto, presentaciones...

Párrafos

Son partes de un documento, que poseen características propias en lo referente al formato.

Ejercicios de autoevaluación

1. Indique cuál de estos programas no es un paquete Ofimático.

    a. Microsoft Office.

    b. Open Office.

    c. Libre Office.

    d. Adobe Office.

2. Si quiero cambiar la orientación de un documento, ¿A qué opción debería ir?

    a. Diseño.

    b. Inicio.

    c. Diseño de página.

    d. Vista.

3. ¿Para qué sirve la opción de espaciado?

    a. Para dar más espacio entre párrafos.

    b. Para dar más espacio entre líneas.

    c. Se usa para crear encabezados y pies de páginas.

    d. Para insertar páginas en blanco.

4. Indique cuántos tipos de márgenes tiene un documento en Word.

    a. Izquierdo, derecho, superior, inferior, encuadernación.

    b. Izquierdo, derecho, superior, inferior.

    c. Izquierdo, derecho, superior, inferior, encuadernación izquierda, encuadernación derecha.

    d. Izquierdo, derecho, superior, inferior, margen interno izquierdo y margen interno superior.

5. ¿Cómo se llama la opción para añadir efectos de animación entre diapositivas?

a. Animación.

b. Transición.

c. Transiciones animadas.

d. Animaciones entre diapositivas.

6. ¿A través de que opción podemos añadir un tema a nuestras diapositivas?

a. Vistas.

b. Disposición.

c. Temas.

d. Diseño.

7. ¿Qué significa reconocimiento de uso no comercial?

a. Que la obra no puede ser modificada, ni usado de modo comercial, y hay que citar al autor.

b. Que la obra no puede ser modificada, ni usado de modo comercial, no hace falta reconocer al autor.

c. Que la obra puede ser modificada, aunque no usado de modo comercial, y hay que citar al autor.

d. Que la obra no puede ser modificada, pero si usada de modo comercial, y hay que citar al autor.

8. ¿Qué son las licencias Creative Commons?

a. Uso libre del contenido protegido.

b. Uso libre y gratuito del contenido.

c. Uso libre y gratuito, bajo ciertas condiciones del autor.

d. Uso libre y gratuito, obviando las condiciones del autor.}

9. Indique cuál de estas extensiones no pertenece a una imagen.

a. JPG.

b. MPG.

c. GIF.

d. PNG.

10.Los documentos de Word, ¿qué extensión tienen?

a. DOCP.

b. PPTX.

c. DOCX

d. DOFX.

U. F. 5. Seguridad

Introducción

En esta unidad de aprendizaje trataremos un tema de actualidad y de especial importancia, la seguridad digital.

La razón por la que debemos aplicar medidas de seguridad hoy en día, se debe a la cantidad de delitos informáticos contra empresas y personas que se producen. Hemos visto parte de esto cuando hablamos en la unidad anterior de la identidad digital y cómo protegerla. También es necesario proteger nuestros dispositivos, nuestras cuentas de correos, contraseñas, y además contar con un antivirus en los dispositivos fijos o móviles, para evitar en la manera de lo posible, poder ser víctima de un ciberdelito.

Objetivos

- Aprender a usar de manera básica los medios informáticos para evitar problemas de seguridad, atendiendo a unas normas básicas.
- Conocer los peligros de la navegación en Internet y cómo proteger nuestros equipos.
- Realizar una navegación segura desde el ordenador y el dispositivo móvil.
- Seguir una rutina o reglas para tener una navegación segura.
- Saber para qué sirve y el uso de un antivirus.

1. Formas básicas de uso de medios informáticos para garantizar la seguridad (tanto el ordenador como el dispositivo móvil)

Para entender las razones para proteger nuestros equipos, y poder realizar un uso seguro de nuestros medios informáticos, es conveniente aclarar unos conceptos previamente:

Vocabulario

Ciberseguridad: se refiere a la protección tanto de la infraestructura informática a nivel empresarial, de organizaciones, como personal.

Delito informático: recibe otros nombres como ciberdelito, es toda aquella delictiva que se realiza en el entorno digital.

Por tanto, todas las normas que nosotros mismos hagamos para evitar tener problemas con ciberdelitos, entran dentro del terreno de la Ciberseguridad. Esto incluye no sólo conocer a qué riesgos nos podemos enfrentar, sino también al conjunto de acciones que nos permite protegernos ante estos tipos de delito.

¿Qué nos puede ocurrir si no realizamos dichas acciones?

- **Robo de información privada:** Supone el robo de claves e información de usuario para poder perpetrar delitos, como por ejemplo entrar en el banco de la víctima y apoderarse de su dinero. Se puede realizar por varios medios, bien a través de programas que monitorizan la actividad del usuario o grabando las teclas que pulsa dicho usuario.

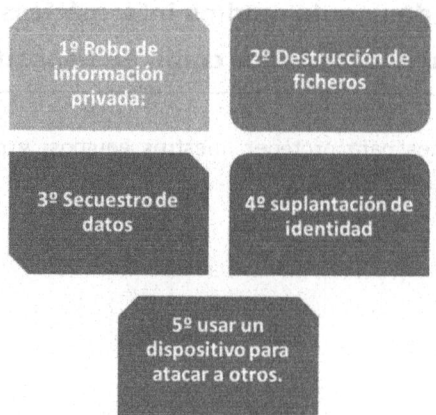

Tipos de ataques más frecuentes

- **Destrucción de ficheros:** A veces el único objetivo de los ciberataques es la destrucción de la información que se encuentra dentro del dispositivo electrónico.

- **Secuestro de datos:** Lo normal es que los ciberataques pretendan obtener algún beneficio económico, para ello utilizan programas que impiden el acceso al usuario de la información de su dispositivo a cambio de dinero.

- **Suplantación de identidad:** El robo o suplantación de identidad, se produce cuando una persona adquiere, transfiere, posee o utiliza información personal de una persona física o jurídica de forma no autorizada, con la intención de efectuar o vincularlo con algún fraude u otro delito.

- **Usar un dispositivo para atacar a otro:** Otro medio que usan los ciberdelincuentes es incluir programas ocultos en tu dispositivo mediante el cual, atacan a su vez a otros dispositivos en la red.

A. Ciberdelincuentes

Estos se organizan en diferentes tipos, los que son individuales son estudiantes que buscan notoriedad, o individuos o grupos que se encargan de comprar programas para realizar estas actividades ilícitas realizados por otros, sin olvidar el ciberterrorismo e incluso el ciber espionaje entre países.

El auge de los delitos informáticos a particulares, empresas y organizaciones con los años se ha ido tomando muy en serio, y **tanto agencias policiales internacionales como la Interpol**, así como cuerpos de seguridad nacionales han ido creando no sólo estructuras que permiten perseguir dichos delitos, sino también han puesto de relevancia la importancia de prevenir y tener un bueno uso de nuestros dispositivos electrónicos.

Hay varias formas de ser víctima de los ciberdelincuentes; a través de webs poco seguras, o bien como ficheros adjuntos dentro de un correo electrónico sospechoso.

- **Para evitar ser víctima de virus informáticos en sus dispositivos, debemos seguir unos consejos**

    - No inserte ningún dispositivo externo como un pendrive **que no sepa su procedencia**, y pase el antivirus sobre él.

Dispositivos externos de almacenamiento de datos

- **No utilizar redes Wifi públicas**, porque éstas no están cifradas y un ciberdelincuente puede robarle sus contraseñas. Por ejemplo, nunca entrar en un banco en dichas redes.

- Procure **cambiar cada cierto tiempo las contraseñas** del correo electrónico, así como de webs. Use contraseñas **que no sean fáciles** de averiguar, incluya números, mayúsculas y caracteres especiales. Instale un **antivirus y un cortafuegos** (firewall) en sus dispositivos electrónicos, y téngalos actualizados.

- Tenga **actualizado** su sistema operativo ya sea Android, Windows etc.

- **Otras formas de protegerse:** La ingeniería social, es diferente y complementaria a las actividades delictivas que puede realizar un ciberdelincuente. Alguna de ellas, como dejar a propósito un pendrive para que el usuario lo instale en su equipo y cargue en él, algún software malicioso.

Evitar dar contraseñas y nombre de usuarios por teléfono	**No dejar nunca contraseña y nombre de usuario en un papel**	**Poner contraseña y usuario en todos los dispositivos,**

Otras formas de protegerse ante la ingeniería social

- **Evitar dar contraseñas y nombre de usuarios por teléfono** o correo a nadie que no esté autorizado. En el caso de una empresa, es habitual hacerse pasar por un compañero de un departamento y pedir esos datos. Por ejemplo, en un departamento de contabilidad hay un problema con su nómina, o un banco que le pida por problemas informáticos su nombre de usuario y contraseña para entrar en la banca online.

- **No dejar nunca contraseña y nombre de usuario en un papel**, un panel o cualquier cosa, que alguien externo pueda verlo con facilidad.

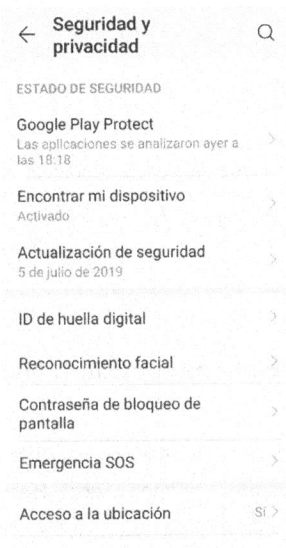

Pantalla de seguridad y privacidad en un dispositivo móvil

- **Poner usuario y contraseña en todos los dispositivos** si el ordenador o dispositivo móvil va a estar en un lugar público o empresa. En los dispositivos móviles, hay desde reconocimiento de huellas, de rostro, o contraseñas cuando la pantalla se apaga teniendo que reiniciar. Como vemos en la imagen superior, en el caso de un dispositivo móvil tenemos las siguientes opciones:

  - Id de huella digital.
  - Reconocimiento facial.
  - Contraseña de bloqueo de pantalla.

2. Rutinas para una navegación segura

Cuando navegamos nos podemos encontrar diferentes tipos de problemas relacionados generalmente con la ciberdelincuencia.

Vocabulario

Virus informático: es un software que pretende modificar el funcionamiento normal de un dispositivo, sin consentimiento o permiso del usuario, con fines de alterar el funcionamiento normal, cuyo objetivo final es cometer algún tipo de ciberdelito

---

2.1. Problemas y peligros en la navegación: Malware, Spam y Phising

Pero no solo son los virus los únicos problemas que nos podemos encontrar. Al navegar, existen programas espías, phising, etc. Hemos visto en el vocabulario algunas definiciones, pero vamos a ir viendo otros problemas que nos podemos encontrar.

A. Malware

Los virus, técnicamente son solo una parte de este ecosistema que conforman los ciberdelitos. Existen diferentes tipos; troyanos, spyware... se engloban dentro de lo que se denomina Malware. Por tanto, los virus, son solo una parte de este Malware desde la aparición de los primeros virus. Esto se ha convertido en uno de los mayores problemas de usuarios y empresas. Hemos visto en el vocabulario la definición de virus, vamos a ver otros tipos de Malware:

- **Spyware:** programas que se instalan y espían todo lo que realizamos en nuestros dispositivos.
- **Ramsonware:** es un tipo de programa malicioso que tiene como objetivo bloquear el acceso a partes o archivos del sistema operativo infectado encriptándolo, es decir haciéndolo imposible de acceder. A cambio piden un rescate económico para eliminar dicho bloqueo.
- **Troyano:** Consiste en robar información o alterar el sistema del hardware o en un caso extremo permite que un usuario externo pueda controlar el equipo.

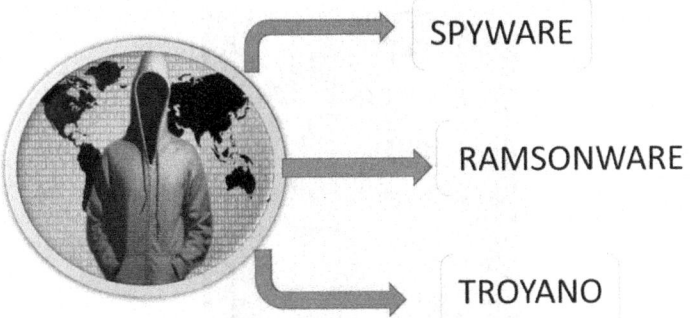

Algunos tipos de Malware

Existen otros tipos, sin embargo hemos destacado solo algunos. Pero no es el único problema; en la gestión de correos, podemos encontrarnos otros problemas relacionados con la publicidad.

B. Spam

También tiene o recibe el nombre de correo basura, se denomina en todo caso a aquellos mensajes que no han sido solicitados por el usuario, o bien que no tienen ningún interés para él o en ocasiones viene con remitente desconocido.

Como vimos en la unidad anterior, en Webmail, como por ejemplo en Gmail, existe una carpeta llamada Spam, donde se almacenan los correos de tipo publicitario.

Carpeta Spam en el correo electrónico

Spam en el correo web: si entramos en nuestro correo a través de una página web, como por ejemplo en Gmail que pertenece a Google, los correos Spam se irán automáticamente a una carpeta llamada **Spam**. Por ello es recomendable que de vez en cuando miremos en dichas carpetas, porque puede ocurrir que los correos importantes se vayan a dicha carpeta.

Otra forma de recibir spam es a través de ventanas emergentes al navegar en internet. El spam también se recibe:

- A través de **mensajes de texto**, en móviles.
- Mediante programas de mensajería instantánea como **WhatsApp**.
- Otra manera de recibir Spam es a través de virus que pueden estar dentro de algunas páginas del tipo, casino, sorteos, premios etc. Es habitual **en webs ilegales de descarga.**

Sugerencia

Revisar carpeta Spam: En ocasiones hay correos que pueden ser importantes y por defecto se van a la carpeta Spam. Si le ocurre que espera un mensaje y no le ha llegado, es conveniente comprobar dicha carpeta.

C. Phising

Se trata de un modelo de ciberdelito. También se le denomina **suplantación de identidad**, y se comete mediante el uso de ingeniería social. Lo que se pretende es **robar información personal** que permita cometer delitos, como por ejemplo robar datos de tarjetas de crédito para comprar productos o sacar dinero a través de cajeros.

Las técnicas que suelen emplear son o bien a través de correo electrónico y mensajería o bien por llamada telefónica con el fin de obtener esos datos. **Un ejemplo muy característico son correos que se hacen pasar por su banco** y le piden bajo el pretexto de "actualizar sus datos" o bien "que le van bloquear su cuenta", etc.

Importante

Petición de datos bancarios: los bancos y cajas de ahorro, jamás le pedirán a través de correo electrónico o llamada de teléfono sus datos de usuario y contraseña.

Mensaje del navegador web cuando detecta una web que puede estar realizando Phising

Al navegar de forma insegura podemos encontrarnos los siguientes problemas y peligros:

- **Web de apariencia comercial** que roba nuestros datos, o bien al realizar una compra, que esta nunca llegue.
- Un problema es el **Phising,** que hemos visto en el vocabulario. Hay páginas que se hacen pasar por sitios de empresas, como por ejemplo un banco y al pedirnos los datos para entrar a nuestro "supuesto" banco, nos roba esos datos.
- **Al entrar en sitios web,** por ejemplo, páginas de descargas ilegales, corremos los riesgos de descargarnos directa o indirectamente virus, programas espías o cualquier otro software malicioso.

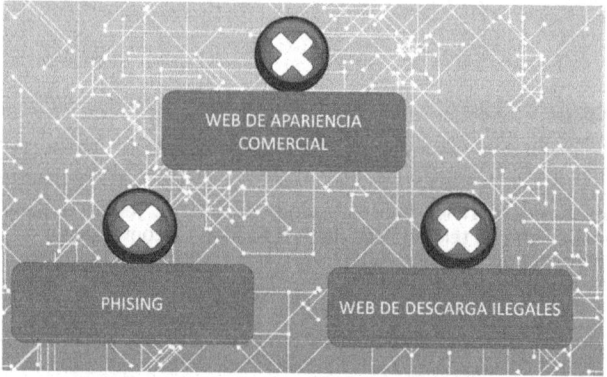

Algunos problemas que nos podemos encontrar en Internet

2.2. Medidas para navegar de forma segura

Algunas de las medidas que podemos tomar para una navegación segura son:

- Evitar entrar en páginas web **que no sean seguras**.
- Nunca abrir correos que **parezcan sospechosos**.
- Evite entrar en webs de bancos o información importante **en redes Wifi públicas**.

El candado nos indica que esta web tiene una conexión segura.

- **Active la configuración de privacidad:** de esa manera nos protegemos de posibles intrusos.
- Evite webs esencialmente peligrosas, como páginas de descarga ilegales.
- **Cuidado** en general con la descarga de aplicaciones.
- Cree **contraseñas seguras.**
- **Evite usar equipos compartidos**, por ejemplo, ordenadores públicos. Es mejor usar su propio equipo o en todo caso, evitar abrir webs que impliquen poner nombre de usuario y contraseñas como por ejemplo Gmail.
- En el caso de que estemos usando un dispositivo que no es el nuestro**, evitar que los navegadores guarden nuestro nombre de usuario y contraseña**, los navegadores, siempre pregunta sin queremos guardar nuestro nombre de usuario y contraseña, cuando pregunte le decimos que no guarde. Y en el caso del correo, eliminamos nuestra cuenta.

Comprobar: la procedencia del mensaje, y no ejecutar ningún fichero asociado, así como tampoco pulsar en un enlace si no tenemos confianza en él.

Configuración de seguridad y privacidad en un navegador web

- **Eliminar una cuenta de correos**: En el caso de que queremos eliminar mi cuenta de correos, por ejemplo en Gmail, porque estemos usando un ordenador compartido, sería lo siguiente:

1. Pulsamos en Gmail, cerramos la cuenta, y nos vamos a eliminar una cuenta

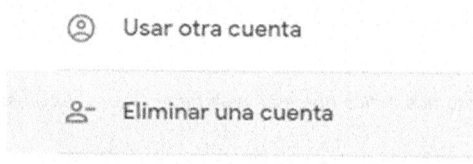

Opción para eliminar una cuenta

2. Elegimos la cuenta que queremos eliminar. Pulsando el botón de "-"y cerramos.

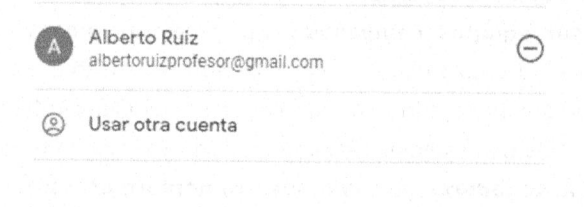

Siguiente paso, eliminar la cuenta

Esto no elimina la cuenta para siempre, sino solo el acceso en ese navegador de ese ordenador.

- **Herramientas anti anuncios:** Existen herramientas que bloquean los anuncios, hay navegadores que simplemente es modificar temas de seguridad dentro de opciones o bien añadir una extensión. En este ejemplo, hemos añadido una extensión al navegador Google Chrome, denominado *AdBlock*, que bloquea los anuncios. En general son ventanas emergentes, también denominados *Pop-Up*.

Ventana de la extensión AdBlock, anti anuncios en Google Chrome

- **Configuración privacidad y seguridad:** Todos los navegadores tienen opciones de seguridad y privacidad que podemos implementar, en esta imagen inferior, vemos las opciones del navegador Google Chrome, donde podemos modificar varios parámetros, como por ejemplo borrar datos de navegación, configuración del sitio Web, etc.

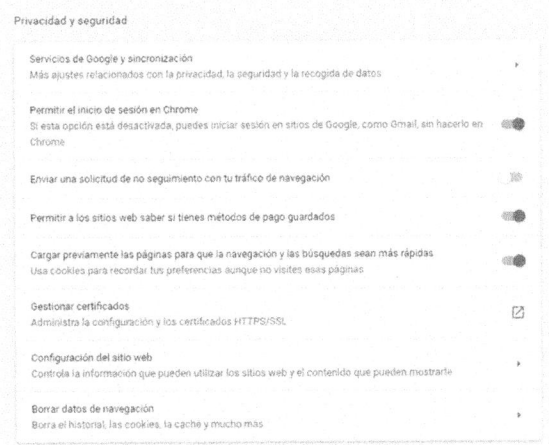

Opciones de configuración y seguridad en Google Chrome

3. El antivirus

Los antivirus son programas cuyo objetivo es detectar y eliminar virus informáticos. Con el transcurso del tiempo, la aparición de sistemas operativos más avanzados e Internet, ha provocado que también **los antivirus evolucionen**, así mismo debido a la proliferación y mayor complejidad de virus y Malware, las funciones que iremos viendo consisten **en buscar y detectar virus informáticos conseguir bloquearlos, desinfectar archivos y prevenir una infección de los mismos.**

Los antivirus realizan diferentes funciones:

- **Prevención:** el antivirus se anticipa a la infección, se ejecuta junto al sistema operativo y ejerce una labor de policía, vigilando todas las actividades.
- **Identificación**: lo que realiza es tras analizar el sistema operativo es identificar posibles amenazas, avisando con un mensaje.
- **Eliminación:** una vez que identifican el fichero contaminado, se procede a su eliminación.

PREVENCIÓN   IDENTIFICACIÓN

ELIMINACIÓN

Funciones de un antivirus

Existen dos tipos de antivirus:

- **Antivirus online:** no se encuentra instalado en el dispositivo, sino que realiza un análisis desde una página web.
- **Antivirus offline:** es un programa que se instala en nuestro dispositivo.

Si usamos el sistema operativo Windows ya preinstalado viene un programa antivirus llamado **Windows defender**, aquí en esta imagen podemos ver el centro de seguridad de Windows defender, dicho programa tiene diferentes opciones que van desde protección antivirus, protección de cuentas, Firewall, control de aplicaciones y navegador, incluso un control parental.

Imagen del centro de seguridad de Windows

Si pulsamos en la opción de protección antivirus y contra amenazas, el sistema nos permitirá realizar un examen manual de nuestro dispositivo.

Actualización del antivirus: es esencial que el antivirus esté actualizado, de esa manera estaremos mejor protegidos frente a los últimos virus. No obstante, la mayoría de los antivirus poseen una función llamada Heurística, la cual permite detectar nuevos virus en base a los ya conocidos.

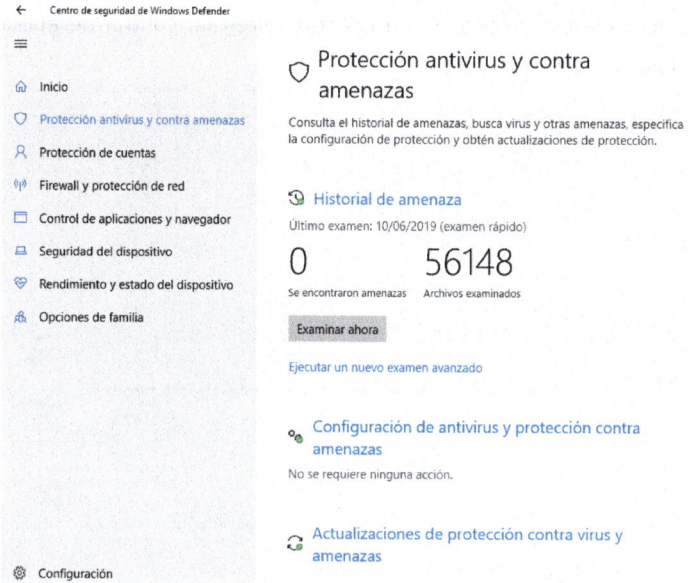

Windows defender mientras realiza un análisis del equipo en busca de virus.

Hay varios modos de tratar los virus. Una opción cuando detecta un archivo infectado es ponerlo en cuarentena. Esta cuarentena es una especie de zona de seguridad, donde los archivos son almacenados.

Importante

Windows defender: si utilizas el sistema operativo Windows, Microsoft recomienda que uses y tengas actualizado un antivirus que bien preinstalado, llamado Windows defender, eso no quiere decir que no puedas tener otro antivirus instalado en el sistema.

En el caso de un dispositivo móvil bien sea *tablet* o *smartphone*, es recomendable instalar un antivirus, eso lo podemos realizar utilizando **Play Store** en el caso de Android y **Apple Store** en el caso de iOS.

Sugerencia

Instale un antivirus en su dispositivo móvil, que tenga una alta valoración y también lea las opiniones sobre el mismo.

Existen otros elementos de protección:

- **Firewall:** En español cortafuegos, y se define como una parte de un sistema o red que no permite el acceso sin autorizar, permitiendo a la vez el acceso autorizado.

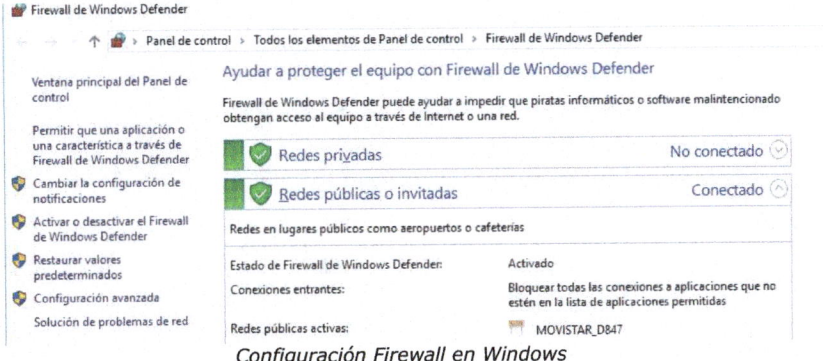

Configuración Firewall en Windows

Recuerda

Activación de Firewall: tener activado el Firewall es un equipo no es suficiente para estar protegidos, esta actuación debe ir unida a tener activo al mismo tiempo un antivirus actualizado.

Resumen

En esta unidad hemos visto los riesgos que podemos cometer si no cumplimos unas **normas básicas** tanto a la hora de usar nuestros dispositivos, como también en la navegación, así como la importancia de tener un antivirus, actualizado y activo.

En el caso de no cumplir estas normas, **nos pueden robar información privada, destrucción de ficheros, secuestro de datos, suplantación de identidad.** También hemos definido lo que es un ciberdelincuente, y sobre todo hemos realizado un listado de las normas a seguir entre ellas.

No insertar dispositivos de procedencia desconocida, **no utilizar redes Wifi públicas**, así como procurar **cambiar cada cierto tiempo las contraseñas** del correo electrónico y portales webs. Hacer uso de contraseñas **que no sean fáciles** de averiguar, tener **actualizado** su sistema operativo ya sea Android, Windows etc. **Evitar dar contraseñas y nombre de usuarios por teléfono o correo**, a nadie que no esté autorizado, **no dejar nunca contraseña y nombre de usuario en un papel, un panel o cualquier cosa,** que alguien externo pueda verlo con facilidad.

También, hemos visto los diferentes tipos de Malware. Entre ellos, virus, Spyware, troyanos, Spam y Phising.

Por último, hemos visto los **antivirus,** que son programas cuyo objetivo es **detectar y eliminar virus informáticos.** Los antivirus han evolucionado hacia versiones más avanzadas. Entre otras funciones, buscan y detectan virus informáticos, bloquean dichos virus, desinfectan archivos y previenen posibles infecciones.

Glosario

Centro de seguridad de Windows
Fue introducido en la versión de Windows XP Service Pack 2 para mantener la seguridad frente a virus, gusanos y troyanos.

Ciberataque
Se define como un ataque en un entorno digital, con la intención de robar, destruir, secuestrar información de manera no autorizada.

Cifrado
Es un medio de hacer incomprensible un mensaje mediante un algoritmo de cifrado con clave.

Spyware
También llamado programa espía, es aquel software que se instala sin conocimiento del usuario, en el ordenador de manera oculta y cuya función principal es espiar todo lo que realiza el usuario.

Ingeniería social
Se denomina al conjunto de técnicas utilizadas, para obtener información como claves o códigos de un usuario. Básicamente son técnicas que lo que pretenden es persuadir valiéndose de la buena voluntad o falta de precaución.

Ejercicio de evaluación final

1. Indique cuál de estos problemas le puede ocurrir si no realiza una correcta protección de sus dispositivos:

a. Robo de información privada.

b. Destrucción de ficheros.

c. Secuestro de datos.

d. Todas las anteriores.

2. ¿Cuál de estas medidas es correcta para protegernos nuestro equipo?

a. Tener activado un antivirus.

b. Usar exclusivamente dispositivos móviles.

c. No actualizar nuestro equipo.

d. Acceder a internet a través de wifi pública.

3. ¿Cuál de estas contraseñas cree que es la más recomendable?

a. Combinación números y de letras, en mayúsculas y minúsculas.

b. Poner su nombre en minúscula.

c. Su fecha de nacimiento.

d. El número de móvil.

4. ¿En qué consiste la Ciberseguridad?

a. Se llama así a una las denuncias que se realizan a la policía a través de internet.

b. Es como se denomina a un tipo de virus.

c. Se refiere a cualquier tipo de delito que se realiza sea través de internet o no.

d. En conocer a que riesgos nos podemos enfrentar y al conjunto de acciones que nos permite protegernos ante los ciberdelitos.

5. ¿Qué es un antispam?

    a. Opción que previene la llegada de correo basura (spam) a la bandeja de entrada de nuestro correo electrónico.

    b. Spam es un virus del tipo Ramsonware, por tanto, es un antivirus que elimina este tipo de virus.

    c. Antispam es una opción de los virus que bloque al antivirus.

    d. Es un programa cuyo objetivo es detectar y eliminar virus informáticos.

6. ¿Cómo se denomina el antivirus que viene por defecto en Windows?

    a. Windows antivirus.

    b. Windows defender.

    c. Firewall.

    d. Antispyware.

7. ¿Cuáles son las funciones que realiza un antivirus?

    a. Prevención, identificación, eliminación.

    b. Actualización, identificación y prevención.

    c. Prevención.

    d. Actualización, eliminación.

8. ¿Dónde podemos configurar las opciones del antivirus Windows?

    a. Dentro de la opción de actualizaciones automáticas.

    b. En el Centro de Seguridad.

    c. En la opción de dispositivos seguros.

    d. En impresoras y otros hardware.

9. ¿Qué es Phising?

a. Es un término informático que denomina un modelo de delito informático y caracterizado por intentar adquirir información confidencial de forma fraudulenta.

b. La acción que realiza el antivirus para eliminar un virus.

c. Es como denominamos a las actualizaciones cuando se hace referencia a dispositivos móviles.

d. Es un tipo de correo electrónico que no conlleva ningún riesgo para el usuario.

10. ¿De qué manera podemos recibir Spam? Indique la respuesta más adecuada.

a. Solo se recibe a través de correo electrónico.

b. A través de correo electrónico y navegando por Internet.

c. Por correo electrónico. Ventanas emergentes al navegar en internet. En el móvil (SMS) como también podemos recibirlo a través de programas de mensajería instantánea como WhatsApp.

d. Navegando a través de ventanas emergentes en Internet.

U. F. 6. Resolución de problemas

Introducción

En la unidad anterior vimos materia relacionada con la seguridad, y cuando hablamos de antivirus, hicimos hincapié en la importancia de actualizarlo. Efectivamente las actualizaciones tanto del sistema operativo como de las aplicaciones que usamos, sean equipos informáticos fijos o móviles, son esenciales porque nos permiten no sólo mejorar la seguridad de dichos equipos, sino tener un comportamiento óptimo del sistema; no únicamente las actualizaciones nos protegen de vulnerabilidades, además suelen arreglar errores de los programas, y añadir funcionalidades. Junto a ellos, existen herramientas que nos permiten tener un resultado óptimo de nuestros equipos, en concreto trataremos el escaneo de discos y la desfragmentación que será explicada lo largo de la unidad.

Objetivos

- Aprender qué es una actualización y cómo podemos actualizar nuestro sistema operativo.
- Comprenderemos para qué sirve y cómo se usan herramientas como el escaneo de discos y el desfragmentador de discos.
- Conocer qué es el mantenimiento del sistema operativo y por qué es importante realizarlo.
- Realizar el mantenimiento del sistema operativo de un equipo informático.

1. Mantenimiento del sistema operativo (Actualizaciones, escaneo de discos, desfragmentación)

Un mantenimiento óptimo de nuestro sistema operativo, implica no sólo actualizaciones del propio sistema operativo, bien sea Windows, Android, Mac Os, etc. Nos referimos también a las actualizaciones de las aplicaciones que usamos, su actualización recomendada es importante tanto si son equipos informáticos como ordenadores de sobremesa o portátiles, smartwatch, smartphone, tablets... Así mismo si queremos que estos operen con total normalidad debemos usar herramientas como en el escaneo de discos y la desfragmentación.

1.1. Actualizaciones

Vocabulario

Vulnerabilidad: es un punto débil, fallo o error dentro de un sistema informática. Se refiere a un sistema operativo, aplicación o dispositivo, que compromete la integridad y pone en riesgo la seguridad de la información, permitiendo ser aprovechada por un ciberdelincuente.

Drivers: también denominado controlador, es un software que permite interaccionar un periférico con el sistema operativo, haciendo que este periférico funcione de manera óptima.

La utilidad de las actualizaciones tiene varias funciones:

- **Eliminar vulnerabilidades**: Aquellas partes del programa que pueden servir como puerta de entrada a posibles ciberdelincuentes.

- **Añadir funciones**: agregar opciones para mejorar el uso del programa.

- **Arreglar fallos**: trabaja en los problemas del sistema, a veces estos fallos están derivados por actualizaciones anteriores.

Actualizar podríamos definirlo como la posibilidad de instalar versiones nuevas de aplicaciones, sistemas operativos, o programas.

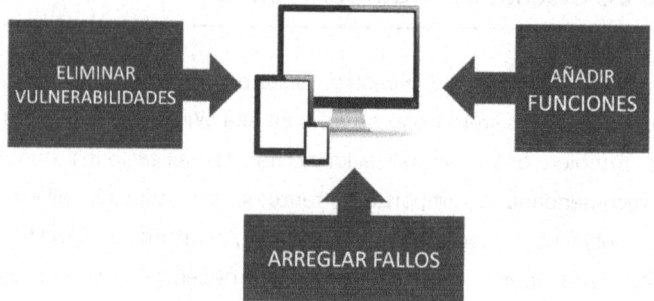

Imagen con las principales utilidades de las actualizaciones

En general nos va a salir cuando usemos nuestros dispositivos, un mensaje avisándonos de que tenemos disponible una nueva versión o actualización de un programa. En ocasiones veremos que nos aparece en inglés generalmente con el nombre de **Update**. Aunque a veces reciben otros nombres.

Podemos clasificar las actualizaciones según su importancia, de la siguiente manera:

- **Actualizaciones críticas**: son aquellas con una importancia esencial para el funcionamiento de su software o sistema operativo, normalmente son actualizaciones para tapar vulnerabilidades.
- **Actualizaciones importantes**: aquellas que son necesarias y que tienen que ver con solucionar problemas de vulnerabilidades.
- **Actualizaciones recomendadas**: son actualizaciones que arreglan o mejoran problemas del software.
- **Actualizaciones opcionales**: en general son mejoras opcionales.

Tipos de actualizaciones

Actualizaciones de Hardware, software y app

El Hardware de un equipo son los distintos componentes que tiene un dispositivo, sonido, memoria RAM, disco duro, placa base, etc. Estos componentes pueden ser actualizados de dos maneras, bien a través de actualizaciones de los controladores o drivers, dentro del propio Windows.

1. Actualización del Hardware desde administrador de dispositivos

Si escribimos en el buscador, "administrador de dispositivos" en Windows 10, se abrirá la siguiente ventana, donde nos muestra todos los elementos o periféricos de que disponemos, en este ejemplo de un equipo portátil, que vemos en la imagen inferior:

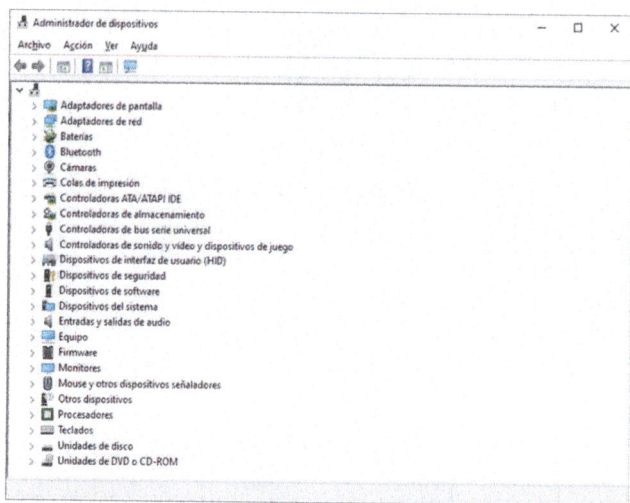

Ventana de administrador de archivos

Si pulsamos por ejemplo en *adaptadores de pantalla* con el botón derecho del ratón, nos mostrará el siguiente menú que vemos en la imagen inferior:

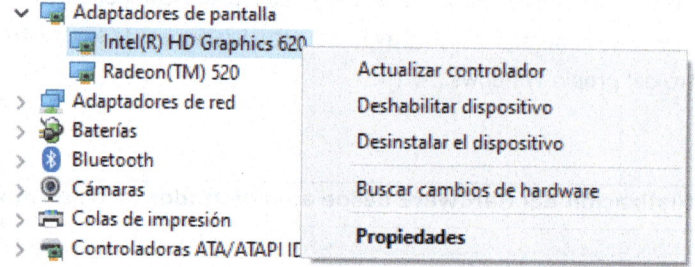

Menú contextual al pulsar en adaptador de pantalla

Al pulsar en actualizar controlador, nos aparecerá la siguiente ventana:

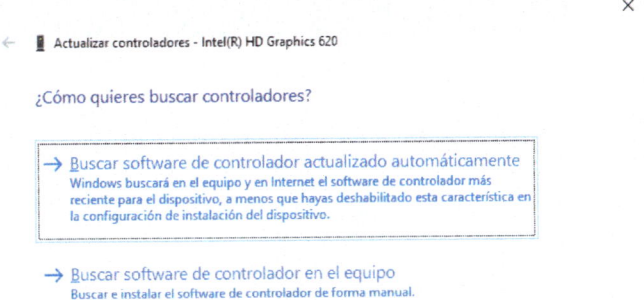

Ventana de actualizar controlador en este caso un adaptador de pantalla

Marcamos la opción de *buscar software controlador actualizado automáticamente*. En el caso de que esté el controlador actualizado nos aparecerá el mensaje que vemos en la imagen inferior:

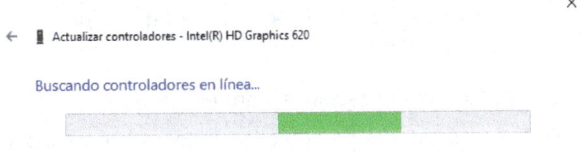

Ventana que muestra la búsqueda del controlador en línea

En los equipos informáticos, los fabricantes ponen a disposición del usuario, sus propias actualizaciones, como en este caso, que podemos acceder a las actualizaciones que el fabricante nos facilita:

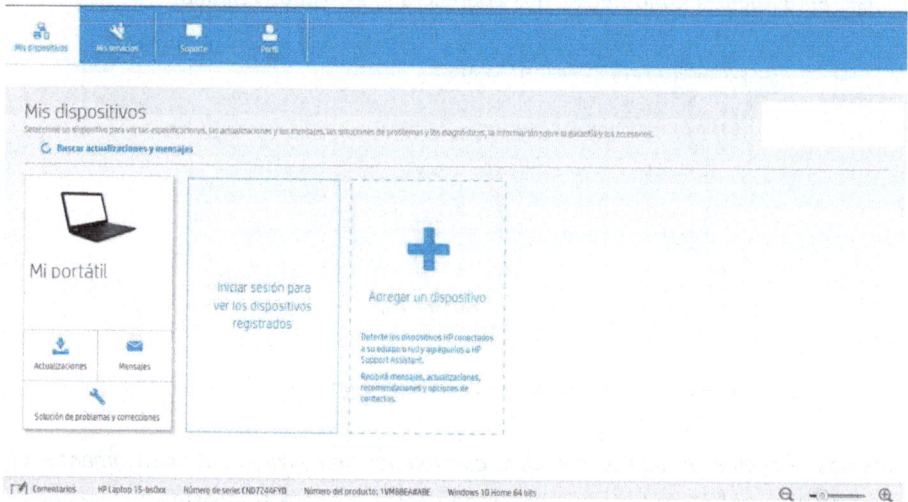

Opción de un fabricante para actualizar controladores o drivers de un equipo informático

---

2. Actualizaciones de aplicaciones o App

Los programas nos ofrecen actualizaciones, en el caso de Windows, si tenemos instalado Microsoft Office, nos avisará de actualizaciones sobre este paquete ofimático, tal y como observamos en la imagen inferior:

Mensaje en Windows sobre la existencia de una nueva actualización de Office

En el caso de las **Apps de un dispositivo móvil**, las actualizaciones son automáticas. No obstante, también podemos activarlas yéndonos a la aplicación correspondiente dependiendo del sistema operativo. En este caso, como vemos en la imagen inferior, nos hemos ido a *Play Store*, que es la aplicación por defecto de Android para descargar y actualizar apps. En este caso si observamos el programa nos dice que no hay actualizaciones disponibles.

Opción de actualizar mis aplicaciones en Play Store

3. Actualizaciones de sistema operativo: Windows Update

Todos los sistemas operativos tienen sus propios programas para actualizar el sistema operativo, este puede programarse para que se actualice en determinados días, horas, o bien que sean manuales, es decir que avise de las actualizaciones y que luego el usuario elija que actualizaciones que quiere instalar o no.

En el caso de Windows, el programa que gestiona las actualizaciones del sistema operativo y también de las aplicaciones de Microsoft es **Windows Update.**

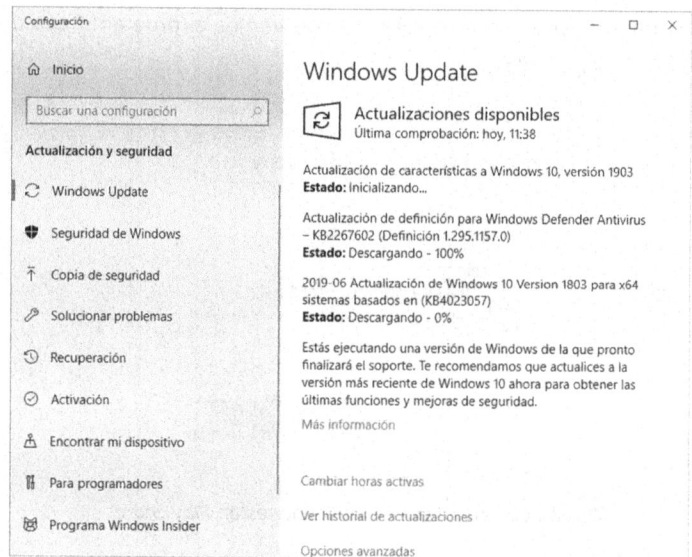

Opción de Windows Update en el sistema operativo Windows

Podemos buscar automáticamente si existen actualizaciones pulsando la opción de buscar actualizaciones.

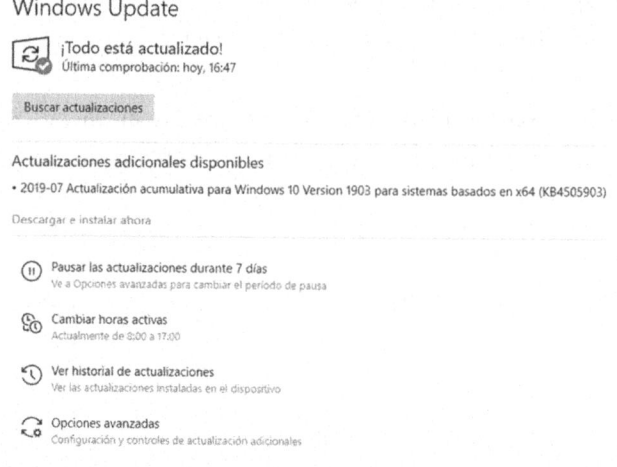

Ventana donde nos muestra una actualización disponible

En el caso de encontrar actualizaciones, pulsamos en instalar y entonces comenzará el proceso de instalación de dicha actualización.

Windows Update

 Actualizaciones disponibles
Última comprobación: hoy, 16:47

Actualización de inteligencia de seguridad para Windows Defender Antivirus - KB2267602 (Versión 1.299.1765.0)
Estado: Instalando - 0%

Mensaje mostrando el estado de una actualización

1.2. Herramientas de mantenimiento: escaneo de discos y desfragmentador

En el punto anterior nos hemos centrado especialmente en las actualizaciones tanto de los elementos informáticos, como son periféricos, programas, sistema operativo tanto de equipos informáticos, como de dispositivos móviles. En este punto nos centraremos en dos herramientas que nos ayudan a tener un perfecto estado de mantenimiento, sobre todo en lo referente a los dispositivos de almacenamiento, bien sean discos locales, o dispositivos externos, pendrive, discos duros externos, discos remotos etc.

A. Escaneo de discos

El escaneo de discos, se usa para detectar y reparar errores en los dispositivos de almacenamiento. Éstos se producen por el mal uso o bien simplemente por el uso continuado de los dispositivos. Si detectamos que tenemos algún problema con nuestro disco duro u otros dispositivos, podemos realizar dicho análisis.

Si queremos escanear nuestro disco local lo haríamos siguiendo los siguientes pasos, en este caso en Windows 10:

– Nos vamos a *este equipo*.

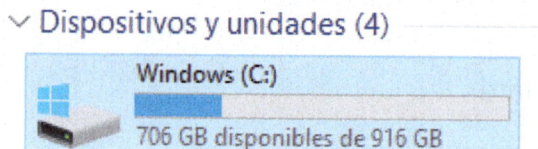

Opción disco local c:

– Con el botón derecho del ratón hacemos clic en el *disco duro* donde queramos comprobar errores, en este caso en *Windows C*:

– Pulsamos sobre **Propiedades** y después a Herramientas.

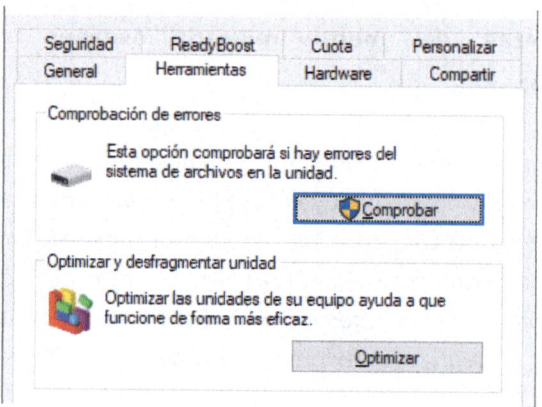

Ventana de propiedades

– Pulsamos en comprobar y después en examinar unidad.

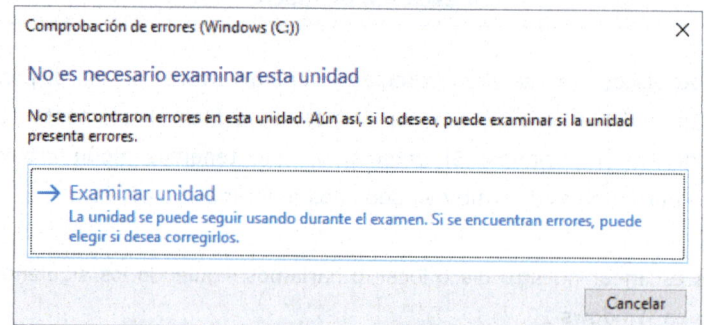

Ventana de comprobación de errores

En el caso que nos ocupa, el sistema nos dice que *no es necesario examinar esta unidad*, en ese caso cerraríamos la ventana.

Pero si aun así nos proponemos en **realizar el escaneo**. Primero, comenzaría a examinar la unidad, como vemos en la imagen inferior:

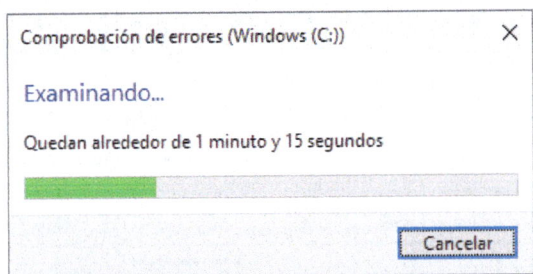

Ventana realizando un examen de la unidad

Al final cuando **realiza el examen**, si no ha habido ningún error, aparecerá el siguiente mensaje que podemos ver en la parte inferior.

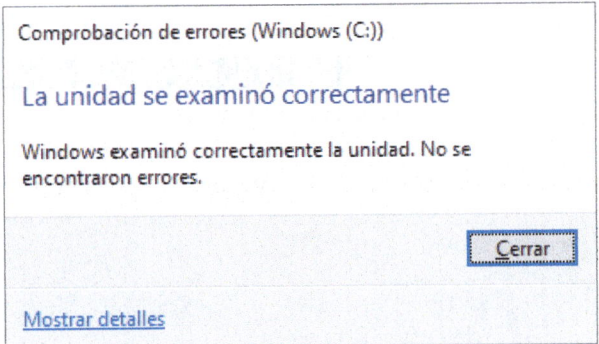

Ventana de finalización de la comprobación de errores

B. Desfragmentador

En general lo que realiza es una optimización de las distintas unidades de disco de nuestro equipo, permitiendo que vaya más rápido. A medida que usamos nuestro ordenador, éste va fragmentando en partes los distintos archivos que va grabando en diferentes sectores del disco, de manera que el acceso a ellos, se va ralentizando con el tiempo. El desfragmentador revierte la situación agrupando esas partes y haciendo que el acceso vuelva a ser rápido.

- En la barra de búsquedas escribimos **desfragmentar.**

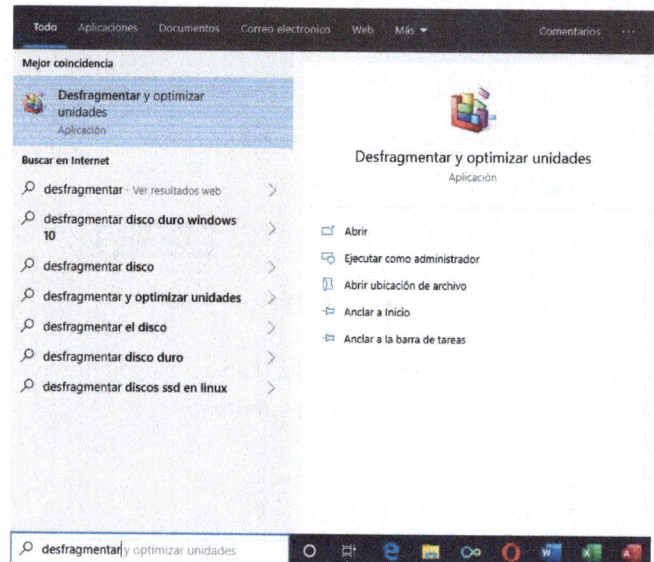

Ventana búsqueda de desfragmentar

- Al pulsar con un clic, aparecerá la ventana que podemos ver en la imagen inferior:

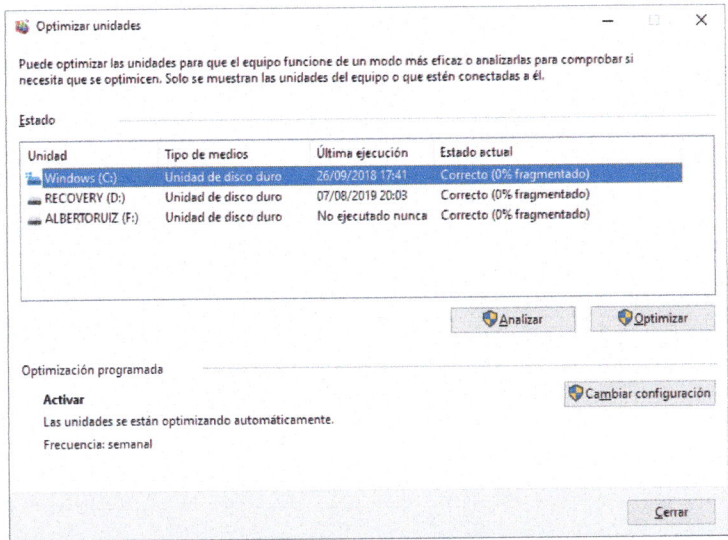

Ventana de desfragmentar

- Aquí elegimos que unidad queremos desfragmentar, después pulsaremos en **analizar,** y comenzará a realizar en análisis como vemos en la imagen inferior:

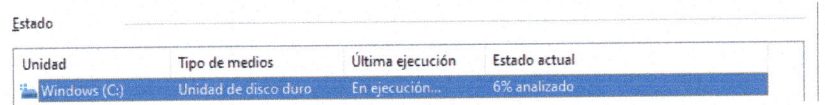

Análisis de la unidad de disco duro

- Comienza el **proceso de desfragmentación** como vemos en la parte inferior:

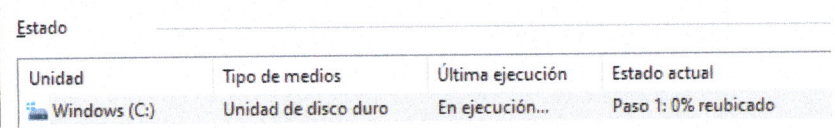

Proceso de desfragmentación

Resumen

En primer lugar, en esta unidad nos hemos dedicado a ver las actualizaciones, bien sean de programas o del sistema operativo, o de componentes de nuestros equipos informáticos. La importancia radica en que no son solo mejoras o reparación de errores, sino también son soluciones a vulnerabilidades que pueden aprovechar los ciberdelincuentes.

Estas actualizaciones, podemos clasificarlas en: actualizaciones críticas, importantes, recomendadas, y opcionales entre otras.

En el caso de las actualizaciones de sistemas operativos, nos hemos centrado en ver Windows Update, cómo se realiza una actualización.

Por último, hemos estudiado algunas herramientas para tener un mantenimiento óptimo de nuestras unidades de almacenamiento de información, bien sean discos duros u otros dispositivos, como pendrive, etc. Uno de ellos es el escaneo de discos que sirve para detectar errores del disco y repararlos. Y otro también importante el desfragmentador de discos que se utiliza para precisamente dar mayor velocidad a nuestro sistema operativo, ya que éste con el tiempo, tiende a fragmentar la información en distintas partes de la unidad de disco, ralentizando el acceso a dichos archivos.

Glosario

App

Es una aplicación o software específico de dispositivos móviles.

Memoria RAM

Dentro de un dispositivo informático, es la memoria principal. Tiene un carácter aleatorio, esto quiere decir que la información se va almacenando y borrando de esa memoria RAM. Por ejemplo, si estamos escribiendo un documento, el documento en realidad está almacenado en la memoria RAM, pero si no procedemos a grabarlo en una unidad de disco, dicho documento desaparecerá. De ahí el carácter aleatorio de la memoria RAM.

Periféricos

Pueden ser o bien aparatos o dispositivos conectados a un equipo informático.

Placa base

Es una tarjeta electrónica, también denominada placa madre, donde se interconectan los diferentes elementos que componen los equipos informáticos.

Smartwatch

Es un reloj inteligente con aplicaciones, dichas aplicaciones lo hacen funcionar de manera similar a un dispositivo móvil, como una Tablet o un Smartphone.

Ejercicios de autoevaluación

1. ¿Para qué sirven las actualizaciones?

   a. Añadir mejoras, arreglar errores del programa o eliminar vulnerabilidades.

   b. Solo sirven para añadir mejoras a los programas.

   c. Sirven para mejoras y arreglar errores del programa.

   d. No son opciones necesarias.

2. ¿Qué es una vulnerabilidad?

   a. Un error en la programación que permitiría a un ciberdelincuente usar el programa para cometer un ciberdelito.

   b. Es una mejora del programa opcional.

   c. Un error del programa que hace que este no funcione correctamente.

   d. No es un término que se use en informática.

3. Indique cuál de estos tipos de actualizaciones es falsa.

   a. Importante.

   b. Recomendada.

   c. Aleatoria.

   d. Opcional.

4. ¿Es posible actualizar el Hardware?

   a. No es posible.

   b. Es posible y recomendable pues puede solucionar problemas de vulnerabilidades.

   c. Es posible pero solo para realizar mejoras.

   d. No es posible hacerlo desde el sistema operativo, hay que quitar dicho componente del equipo informático para poder actualizarlo.

5. ¿Qué es Windows Update?

a. Es una opción para realizar actualizaciones de Windows a través de Internet

b. Es una opción de Windows para jugar online.

c. Es una tienda online de Microsoft para poder comprar aplicaciones.

d. Es una opción de Windows para realizar actualizaciones exclusivamente opcionales.

6. ¿Qué es una actualización crítica?

a. Es igual que una actualización opcional.

b. Una actualización que añade funciones nuevas a Windows o cualquier otro programa.

c. Es una opción que se usa en los juegos para poder jugar online.

d. Una actualización importante que resuelve un problema muy grave de vulnerabilidad.

7. ¿Para qué sirve una actualización opcional?

a. Como su nombre indica, es una actualización que no es importante, ni recomendada, ni crítica.

b. Sirve para añadir opciones, pero solo exclusivamente a los juegos online.

c. Es una opción que afecta a aquellos programas que va a hacer uso de una impresora.

d. No existe tal opción en las actualizaciones.

8. En Windows Update ¿podemos programar las actualizaciones?

a. No, siempre son manuales.

b. Son automáticas, pero no se puede cambiar la hora.

c. Solo en aquellas actualizaciones de lunes a viernes.

d. Sí, puede programarse la hora.

9. ¿Para qué sirve el escaneo de discos?

a. Es un tipo de antivirus básico que tiene Windows.

b. Sirve para detectar intrusos no autorizados en nuestros equipos informáticos.

c. Detecta y repara errores de disco.

d. Es un programa que realiza copias de seguridad.

10. ¿Para qué sirve la desfragmentación?

a. Permite corregir errores de un dispositivo y repararlo.

b. Es una aplicación de Windows que copia archivos en varios dispositivos.

c. Al desfragmentar la información el acceso a ella es mucho más rápido.

d. Es una opción que elimina información no esencial.

Ejercicios prácticos

Ejercicio práctico 1. Organización de contenidos

Unidad formativa 2: Tratamiento de la información

1. Váyase a la carpeta documentos, y cree las siguientes carpetas:

- UNIDAD 1: USO BÁSICO SISTEMA OPERATIVO.
- UNIDAD 2: TRATAMIENTO DE LA INFORMACIÓN.
- UNIDAD 3: COMUNICACIÓN.
- UNIDAD 4: CREACIÓN DEL CONTENIDO.
- UNIDAD 5: SEGURIDAD.
- UNIDAD 6: RESOLUCIÓN DE PANTALLA.

2. Suba estas carpetas a algunos de los sistemas de almacenamiento en la nube como Google Drive, por ejemplo.

Ejercicio práctico 2. Uso del procesador de texto

Unidad formativa 4: Creación del contenido

1. Escriba el siguiente documento, en un procesador de textos.

Miguel de Cervantes

EL INGENIOSO HIDALGO DON QUIJOTE DE LA MANCHA

Capítulo Primero

Que trata de la condición y ejercicio del famoso hidalgo don Quijote de la Mancha

En un lugar de la Mancha, de cuyo nombre no quiero acordarme, no ha mucho tiempo que vivía un hidalgo de los de lanza en astillero, adarga antigua, rocín flaco y galgo corredor. Una olla de algo más vaca que carnero, salpicón las más noches, duelos y quebrantos los sábados, lentejas los viernes, algún palomino de añadidura los domingos, consumían las tres partes de su hacienda. El resto della concluían sayo de velarte, calzas de velludo para las fiestas, con sus pantuflos de lo mesmo, y los días de entresemana se honraba con su vellorí23 de lo más fino. Tenía en su casa una ama que pasaba de los cuarenta y una sobrina que no llegaba a los veinte, y un mozo de campo y plaza que así ensillaba el rocín como tomaba la podadera. Frisaba la edad de nuestro hidalgo con los cincuenta años. Era de complexión recia, seco de carnes, enjuto de rostro, gran madrugador y amigo de la caza.

2. Deberá modificar el formato con los siguientes elementos.

- El texto "Miguel de Cervantes" centrado, tipo de letra Calibri, tamaño 15
- El texto "El ingenioso Hidalgo…" centrado, negrita, tipo de letra Verdana, tamaño 22.
- El texto "Capitulo primero" en negrita, tipos letra Verdana, tamaño 10, y en color rojo oscuro. Alineación izquierda.
- El texto "Que trata de la condición…" En tipo de letra Verdana, tamaño 14, cursiva. Alineación izquierda.
- El resto del texto en Verdana tamaño 11, y alineación justificada.

Ejercicio práctico 3. Trabajar con diapositivas

Unidad formativa 4: Creación del contenido

Abra o entre en un programa para realizar presentaciones y vamos a realizar el siguiente proyecto que consiste en siete diapositivas:

- **Diapositiva nº 1:** Escribiremos el siguiente texto "COMPETENCIAS DIGITALES BÁSICAS" en Verdana tamaño 30, y buscaremos una imagen de un portátil que insertaremos debajo.
- **Diapositiva nº 2:** Escribiremos el siguiente texto "USO BASICO DEL SISTEMA OPERATIVO" en Verdana tamaño 20, color azul, y buscaremos los logos de los siguientes sistemas operativos, Windows, Android, Mac Os, que insertaremos justo debajo de este título.
- **Diapositiva nº 3:** Escribiremos el siguiente texto "COMUNICACIÓN" en Verdana tamaño 25 y color verde, y buscaremos una imagen de un Email que insertaremos debajo del texto.
- **Diapositiva nº4:** Escribiremos el siguiente texto "CREACION DEL CONTENIDO" en Verdana tamaño 30, y buscaremos el logo de Microsoft Office que insertaremos debajo del texto.
- **Diapositiva nº 5:** Escribiremos el siguiente texto "SEGURIDAD" en Verdana tamaño 20, color rojo y buscaremos una imagen relacionada con el tema, que insertaremos debajo del texto.
- **Diapositiva nº 6:** Escribiremos el siguiente texto "RESOLUCION DE PROBLEMAS" en Verdana tamaño 30, color celeste, y buscaremos una imagen relacionada con el tema, que insertaremos debajo del texto.
- **Diapositiva nº 7:** Escribiremos el siguiente texto "FIN DEL CURSO" en Verdana tamaño 40, color azul y buscaremos una imagen de un portátil que insertaremos debajo del texto.

Al insertar las imágenes, procure que sean de libre uso con modificaciones.

Ejercicio de evaluación final

1. ¿Cuál es la última versión de Windows?

a) Windows 11.

b) Windows 9.1.

c) Windows 10.

d) Windows 8.1.

2. ¿Cómo se llama el nuevo navegador Web en Windows 10?

a) Microsoft Safari.

b) Internet Explorer 10.

c) Windows Explorer.

d) Microsoft Edge.

3. ¿Qué es Cortana?

a) Una serie de combinaciones de teclas para hacer más ágil Windows.

b) Un asistente virtual que se puede utilizar con texto o voz.

c) Una opción que sustituye a la opción de Fax y Escáner.

d) Un programa para retocar imágenes.

4. ¿Cuál es la combinación de teclas para copiar un fichero?

a) Control + x.

b) Control + c.

c) Control + p.

d) Control + v.

5. Si borramos un documento del disco duro en Windows, ¿Dónde se va?

a) Se queda en un programa que se llama Eraser.

b) El documento desaparece y no se puede recuperar.

c) A la papelera de reciclaje. Una vez allí, podemos recuperarlo o eliminarlo definitivamente.

d) El documento desaparece, pero a través de ciertas aplicaciones que tenemos que descargarnos de la Web de Microsoft podemos recuperarlo.

6. ¿Cuál es el navegador más usado en el mundo?

a) Internet Explorer.

b) Google Chrome.

c) Mozilla Firefox.

d) Opera.

7. ¿Cuál es el navegador que sustituye a Internet Explorer?

a) Microsoft Safari.

b) Microsoft Edge.

c) Microsoft Opera.

d) Microsoft Yandex.

8. Indique a qué compañía pertenece el motor de búsqueda denominado Bing:

a) Apple.

b) Android.

c) Bing corporation.

d) Microsoft.

9. ¿Cómo se llaman los programas que amplían las características de Google Chrome?

a) Ampliaciones Google.

b) Navigator apps.

c) Aplicaciones.

d) Extensiones

10. ¿Qué tipo de archivos podemos subir a Google Drive?

a) Fotos y vídeos.

b) Programas.

c) Documentos.

d) Todos los anteriores.

11. Indique cuál de estos no es un correo Webmail:

a) Telegram.

b) Yahoo!

c) Outlook.

d) Gmail.

12. Indique qué opción no es correcta al enviar un mensaje:

a) Podemos insertar un archivo adjunto de nuestro equipo.

b) Nos permite enviar archivos procedentes de Dropbox.

c) Permite enviar archivos de OneDrive.

d) Podemos insertar Emojis, a modo de emoticones.

13. ¿A través de qué opción podemos agregar una cuenta de correos en Microsoft Outlook?

a) Pulsando en Archivo, configuración general de cuentas.

b) Dentro de opciones, configuración general, añadir cuentas de correo.

c) Dentro de la opción de configuración, añadir cuentas externas.

d) Pulsando en Archivo y después en agregar cuenta.

14. ¿Para qué sirve *Hangouts*?

a) Es un programa que se utiliza para realizar videoconferencias.

b) Es un cliente de correos de Apple.

c) Es un programa de mensajería instantánea, pero no tiene opción de videoconferencia.

d) Es un protocolo que se usa cuando se realizan videoconferencias a través de dispositivos móviles.

15. ¿Qué elementos conforman la identidad digital? Indique cuál es falso:

a) Perfiles profesionales como la red social LinkedIn.

b) Vídeos en YouTube.

c) Usar programas ofimáticos de escritorio.

d) Comentarios en Foros o blogs.

16. Indique cuál de estos programas no es un paquete Ofimático:

a. Microsoft Office.

b. Open Office.

c. Libre Office.

d. Adobe Office.

17. ¿Si quiero cambiar la orientación de un documento a qué opción debería ir?

   a. Diseño.

   b. Inicio.

   c. Diseño de página.

   d. Vista.

18. ¿Para qué sirve la opción de espaciado?

   a. Para dar más espacio entre párrafos.

   b. Para dar más espacio entre líneas.

   c. Se usa para crear encabezados y pies de páginas.

   d. Para insertar páginas en blanco.

19. ¿Qué son las licencias Creative Commons?

   a. Uso libre del contenido protegido.

   b. Uso libre y gratuito del contenido.

   c. Uso libre y gratuito, bajo ciertas condiciones del autor.

   d. Uso libre y gratuito, obviando las condiciones del autor.

20. ¿Los documentos de Word qué extensión tienen?

   a. DOCP.

   b. PPTX.

   c. DOCX

   d. DOFX.

21. Indique cuál de estos problemas le puede ocurrir si no realiza una correcta protección de sus dispositivos:

   a. Robo de información privada.

   b. Destrucción de ficheros.

   c. Secuestro de datos.

   d. Todas las anteriores.

22. ¿Cuál cree de estas contraseñas es recomendable?

    a. Combinación números y de letras, en mayúsculas y minúsculas

    b. Poner su nombre en minúscula.

    c. Su fecha de nacimiento.

    d. El número de móvil.

23. ¿Cómo se llama el antivirus que viene por defecto en Windows?

    a. Windows antivirus.

    b. Windows defender.

    c. Firewall.

    d. Antispyware.

24. ¿Cuáles son las funciones que realiza un antivirus?

    a. Prevención, identificación, eliminación.

    b. Actualización, identificación y prevención.

    c. Prevención.

    d. Actualización, eliminación.

25. ¿Dónde se configuran las opciones del antivirus Windows defender en Windows?

    a. Dentro de la opción de actualizaciones automáticas.

    b. En el Centro de Seguridad.

    c. En la opción de dispositivos seguros.

    d. En impresoras y otros hardware.

26. ¿Para qué sirven las actualizaciones?

    a. Añadir mejoras, arreglar errores del programa o eliminar vulnerabilidades.

    b. Solo sirven para añadir mejoras a los programas.

    c. Sirven para mejoras y arreglar errores del programa.

    d. No son opciones necesarias.

27.¿Qué es una vulnerabilidad?

a. Un error en la programación que permitiría a un ciberdelincuente usar el programa para cometer un ciberdelito.

b. Es una mejora del programa opcional.

c. Un error del programa que hace que este no funcione correctamente.

d. No es un término que se use en informática.

28.¿Qué es Windows Update?

a. Es una opción para realizar actualizaciones de Windows a través de Internet

b. Es una opción de Windows para jugar online.

c. Es una tienda online de Microsoft para poder comprar aplicaciones.

d. Es una opción de Windows para realizar actualizaciones exclusivamente opcionales.

29.¿Para qué sirve el escaneo de discos?

a. Es un tipo de antivirus básico que tiene Windows.

b. Sirve para detectar intrusos no autorizados en nuestros equipos informáticos.

c. Detecta y repara errores de disco.

d. Es un programa que realiza copias de seguridad.

30. ¿Para qué sirve la desfragmentación?

a. Permite corregir errores de un dispositivo y repararlo.

b. Es una aplicación de Windows que copia archivos en varios dispositivos.

c. Al desfragmentar la información el acceso a ella es mucho más rápido.

d. Es una opción que elimina información no esencial.

Solucionario

U. F. 1. Uso básico del sistema operativo

1. c	**6.** b
2. d	**7.** d
3. d	**8.** b
4. a	**9.** c
5. a	**10.** a

U. F. 2. Tratamiento de la información

1. b	**6.** d
2. b	**7.** b
3. a	**8.** a
4. c	**9.** b
5. d	**10.** d

U. F. 3. Comunicación

1. a	**6.** a
2. a	**7.** a
3. b	**8.** c
4. c	**9.** c
5. d	**10.** d

U. F. 4. Creación del contenido

1. d	**6.** d
2. c	**7.** a
3. a	**8.** c
4. a	**9.** b
5. b	**10.** c

U. F. 5. Seguridad

1. d	**6.** b
2. a	**7.** a
3. a	**8.** b
4. d	**9.** a
5. a	**10.** c

U. F. 6. Resolución de problemas

1. a

2. a

3. c

4. b

5. a

6. d

7. a

8. d

9. c

10. c

Bibliografía

Monografías

VELOSO CLAUDIO (2016): *Informática básica para adultos.* Marcombo, S.A.

> Este libro, Es un libro referente para aquellas personas que se inician en el mundo de la informática. Trata temas como el uso de Windows e Internet y los programas de uso más frecuente. El correo electrónico, redes sociales, mensajería y videoconferencia. El uso del procesador de textos Word y otros, así como trabajar con hojas de cálculo, consejos de seguridad, navegación segura.

Legislación

Ley Orgánica 3/2018, de 5 de diciembre, de Protección de Datos Personales y garantía de los derechos digitales.

Real Decreto Legislativo 1/1996, de 12 de abril, por el que se aprueba el texto refundido de la Ley de Propiedad Intelectual, regularizando, aclarando y armonizando las disposiciones legales vigentes sobre la materia. Modificación 2 de marzo de 2019.

Webgrafía

Guía de privacidad y seguridad en Internet
https://www.osi.es/es/guia-de-privacidad-y-seguridad-en-internet

Guía y ayuda de Microsoft Office
https://support.office.com/es-es